わかる！話せる！
日本語会話
発展文型
125
125 Extended Patterns for Japanese Conversation

監修・著
水谷信子
Mizutani Nobuko

松本　隆／高橋尚子
Matsumoto Takashi　Takahashi Naoko

Jリサーチ出版

はじめに

Preface／前言

　この本は、日本語の会話力が進んで、言いたいことがかなり言えるようになったが、さらに的確で豊かな表現力をつけたいと望んでいる人のために企画したものです。自分が感じて伝えたいことを自由に日本語で表現し、ビジネスに社交に、縦横に日本語を駆使することができる力を養ってもらいたいという願いから、この本を作りました。

　実際の日本語の会話は、教科書や文法書の記述にはないさまざまな要素から成り立っています。通常見逃されがちなこうした要素を注意深く取り出し、分析し、練習しやすいように整理するために、制作にかかわった皆で長い間苦心してきましたが、その成果がまとまりました。

　本書の特色は、まず基本表現の確認のあと、「話を続ける・やめる」ための文型を分析し、練習しやすく提示したことです。相手との話し合いを「お元気ですか－おかげさまで」のような型通りのやりとりで終わらせるのではなく、内容のある話を続けていく練習に力を入れたことです。「その通りです」と話の調子を合わせる、あるいは「それが」「しかも」などを使って話を続ける、また「そんなことありません」と軽く否定したり、「そういうことで」と話を終えるなど、話の展開を助ける文型練習を充実させました。

　そうした技術面だけでなく、「うれしい・心配だ」などの気持ちを表す表現を集めたことも本書の特色です。ただ目的を達するだけの表現力だけでなく、生き生きとした人間らしい気持ちを相手に伝える能力をつけることで、本当に血の通った会話ができるようにと、心を配りました。

　皆さんがこうした本書の特色を理解し生かして、高い豊かな日本語力を獲得されることを楽しみにしています。

水谷信子

This book was created for students of Japanese who have progressed far enough to be able to convey their goals in conversations but wish to communicate their thoughts even more accurately using richer expressions. It was made out of a desire for such people to be able to develop their skills in Japanese to the point where they can master it and freely speak how they feel throughout all aspects of life, from business settings to social ones.

Actual Japanese conversations are created using many elements that you won't find in textbooks and grammar manuals. We have worked long and hard searching for these easily-missed elements, analyzing them, and arranging them in easy-to-learn ways in this book.

What makes this book special is that after you first make sure you understand a basic expression, you will be able to find easily-learnable analyses of sentence patterns used to continue or end a conversation. Instead of conversations consisting of textbook phrases such as "How are you? - Well, thank you," we have focused on allowing you to practice ways to continue conversations in meaningful ways. This book is full of sentence patterns you can practice that help a conversation grow, such as「その通りです」to agree with someone,「それが」and「しかも」to continue a conversation,「そんなことありません」to disagree mildly, and「そういうことで」to end a conversation.

This book is also special in that in addition to these technical elements, it is also full of expressions used to show how you feel, such as「うれしい・心配だ」. We have done everything we can to allow you to have warmer conversations by taking you beyond the ability to express only what your goals are and teaching you how to communicate your lively, human feelings to others.

I hope that you will be able to make use of this book's unique aspects in order to acquire a high, rich, and deep level of Japanese.

本书是为有一定日语口语能力，能充分表达自己的想法，希望能更加丰富自己的日语表达方式的日语学习者而企画的。此外，编者也希望大家通过对这本书的学习，能更加自由自在地用日语来表达自己的感受和想法，在商务、社交活动中，全方位训练自己的日语能力。

实际生活中的日语会话是由教科书和语法书中没有出现过的各种要素构成。编者在编写这本教材时，长期苦心研究，将日语学习者容易忽视的这些要素进行细心的挖掘、分析和整理，将这些成果进行系统总结，便于大家练习。

本书的特色在于，首先在确认基本表达方式后，分析"持续话题·结束话题"的句型，为了方便练习还会进行提示。与对方的谈话不是通过像"您好吗？---谢谢，我很好。"之类的对话就结束了，而是着力于让大家将有内容的对话继续进行下去的练习。例如，用「その通りです」来配合与对方的谈话、或者是用「それが」「しかも」等来继续对话、或者是用「そんなことありません」进行轻微否定、用「そういうことで」来结束话题等，不断充实让话题展开的句型练习。

不仅在刚才的技术层面上，本书的特色还在于，收集了很多表达「うれしい・心配だ」等表示心情的表达方式。不单让大家掌握只达到目的的表达方式，还希望能训练让大家能够将有血有肉、有人情味的感情传达给对方的能力，让日语学习者真正能够掌握到生动自然、有感情的会话能力。

编者期待日语学习者能理解活用本书的特色，更进一步获得高水平、高内涵的日语能力。

目次

Table of Contents ／目录

はじめに Preface 前言 …………………………	2
学習の流れ How to Proceed with Your Studies 学习的流程 ……	8
本書の使い方 How to Use this Book 本书的使用方法 ……	10

序章　会話をより豊かなものに
　　　——会話を続け、気持ちを伝え合おう ……… 13

Foreword　Enlivening Your Conversations: Continue Your Conversations and Convey Your Emotions

序章　让会话变得更加多姿多彩 —— 不断持续对话，相互传递心情

PART1　形でとらえる基本表現
Understanding Basic Expressions Through Forms ／固定句型的基本表现

① 文などに接続する形
Forms Connected to Sentences ／连接句子等的句型 ……………… 18

～かと／～からって／～というか・～っていうか／～というより・～っていうより

② 動詞に接続する形
Forums Connected to Verbs ／连接动词的句型 ……………… 24

～ないことはない／～よう（目的・結果）

③ よく使う「て形」接続の形
Forms Often Connected with Te-Forms ／与常用的「て形」连接的句型 … 26

～てみる／～てあげる・～てやる／～てくれる・～てもらう

④ 省略型
Abbreviations ／省略型 ……………… 30

～は？／～はどう？／～ば（勧誘）／～んだけど

⑤ 変形型
Variations ／变化型 ……………… 34

～ちゃ／わかんない（「ら行→ん」の変化）

4

⑥ こそあど（日本語の指示代名詞）・・・・・・・・・・・・・・・・・ 36

あれ（例のあれ）／これ（これは困った）／それ（それって本当？）／そこ（そこが大事）／そんなの／どう（どうかと思う）／どうやって／どうも・どうやら

PART2　目的別でとらえる基本表現
Basic Expressions by Purpose ／ 目的分类的基本表现

A　話を続ける・やめる
Continuing, Stopping a Conversation ／ 继续，停止说话

① 調子を合わせる・反応する
Going Along, Reacting ／ 附和，反应 ・・・・・・・・・・・・・・・・ 54

確かに／そのとおり／おっしゃるとおり／そうか・そっか／はあ／ほう

②話を始める・話を続ける
Beginning, Continuing a Topic ／ 开始说话，继续说话 ・・・・・・・・・ 62

いやあ／実は／ところで／そう言えば／でも／それで／というわけで／とすると

③内容を付け足す
Adding Information to a Subject ／ ・・・・・・・・・・・・・・・・・ 72

あと・あとは／ちなみに／しかも／といっても／それに

④相手の話を受けて続ける
Understanding and Continuing a Topic ／ 继续听对方说话 ・・・・・・・ 82

それが／それより／それなら・（それ）だったら／そうじゃなくて

⑤間（ま）をとる
Taking a Moment ／ 设有间隔 ・・・・・・・・・・・・・・・・・・・ 90

えーっと／そのう／まあ／そうですね

⑥軽く否定する
Lightly Denying Something ／ 轻度否定 ・・・・・・・・・・・・・・・ 98

そんなことない／違います／いえ／いえいえ／いやいや

5

⑦ **話を終える**
はなし お
Finishing a Conversation ／ 中止说话 ・・・・・・・・・・・・・・・・・・・・・ **104**

そういうことで／以上です／そういうわけです
　　　　　　　　いじょう

B　気持ちを表す
　　きも　　あらわ
　　Expressing Your Feelings ／ 表示心情

① **安心・喜び**
あんしん よろこ
Relief, Joy ／ 安心，高兴 ・・・・・・・・・・・・・・・・・・・・・・・・・・・ **108**

よかった／助かった
　　　　　たす

② **よくない状況**
　　　　じょうきょう
A Bad Situation ／ 不好的状况 ・・・・・・・・・・・・・・・・・・・・・・・ **112**

困った／まいった／弱った／どうしよう
こま　　　　　　　　よわ

③ **強　調**
きょうちょう
Emphasis ／ 强调 ・・・・・・・・・・・・・・・・・・・・・・・・・・・・・・・・・・・ **118**

～って／～ってば／～だもの／～ったら

④ **あきらめ**
Giving Up ／ 失望，放弃 ・・・・・・・・・・・・・・・・・・・・・・・・・・・ **122**

しょうがない・仕方ない／いくら～ても／どうせ
　　　　　　　しかた

⑤ **軽い扱い・低い評価**
かる あつか ひく ひょうか
Unimportant Treatment, Low Evaluation ／ 轻度的对待，较低的评价 ・・・ **128**

～くらい／～じゃ／～なんか・～なんて

⑥ **丁寧さ・控えめさ**
ていねい　　ひか
Politeness, Reservedness ／ 客气度，节制度 ・・・・・・・・・・・・ **134**

～（さ）せてもらう・～（さ）せていただく／よろしい

⑦ **不満・注文・主張・理由**
ふまん ちゅうもん しゅちょう りゆう
Displeasure, Orders, Assertions, Reasons ／ 不满，要求，主张，理由 ・・・ **138**

ただ／ただし／だって／だから／もう／は？・はあ？

⑧ **驚き・感心**
おどろ　かんしん
Shock, Amazement ／ 吃惊，佩服 ・・・・・・・・・・・・・・・・・・・ **150**

よく／まったく／また

C 相手に働きかける
Appealing to Another / 涉及到

①ほめる・評価する・励ます
Praise, Evaluation, Encouragement / 表扬，评价，鼓励 ・・・・・・・・・・ 156

感心する／素晴らしい／大したもんだ／すごい／なかなか／わりと／案外

②確認を促す・相手を促す
Encouraging Confirmation, Encouraging Another / 催促确认，催促对方 ・・ 164

～ぜ／～ぞ／しっかり／ちゃんと／～じゃん

③さらに質問する
Asking Further / 追加提问 ・・・・・・・・・・・・・・・・・・・・・・・・・・・・・ 172

それで？／それから？

PART3　説明に使う言葉
Words Used in Explanations / 说明用语

①さまざまな会話場面で使われる言葉
Words Used in Various Conversations / 各种场面用语 ・・・・・・・・・・・・ 178

具合／感じ／形／やつ／わけ／線／ところ／つもり／大変／ちょっと／いろいろ／さっき／前に／どうも（どうも眠い）／だめ／いや（いやだなあ）／自分／お願いします／頼む／ごめん・すみません・申し訳ない

②「何」を含む表現
Expressions that Include「何」/ 含有「何」的表现 ・・・・・・・・・・・・ 212

何（何、笑ってるの？）／なんだ（なんだ、夢か）／なんで（なんで嫌い？）／なんと（なんと3割引き！）／なんて・なんてこと／何とか・どうにか

文型リスト　List of Sentence Patterns　句型列表 ・・・・・・・・・・・・・・・・ 220

学習の流れ

How to Proceed with Your Studies ／学习的流程

この本は大きく、序章・PART1・PART2・PART3 の４つの部分で構成され、次のステップで学習を進めます。しっかり練習を続けることで、"会話を続ける力" が自然に身につきます。

STEP 1　序章「会話をより豊かなものに――会話を続け、気持ちを伝え合おう」

会話を続け、気持ちを伝え合うためのポイントつかみます。

STEP 2　PART1「形でとらえる基本表現」

各パートでは、大小のテーマをもとに会話でよく使われる重要文型を取り上げ、意味や使い方会話を確認し、会話の実践練習をします。まずパート１では、形に注目して分類した文型を学習します。

STEP 3　PART2「目的別でとらえる基本表現」

次に、目的や機能に注目して分類した文型を学習します。このパートでは特に、相手との関係の中で、どう会話をしていくかをテーマに、「話を続ける・やめる」「気持ちを表す」「相手に働きかける」の３つのセクションで構成しています。

STEP 4　PART3「説明に使う言葉」

最後に、説明や形容に使う言葉のうち、会話ならではの言葉や表現を取り上げ、学習します。

STEP 5　くりかえし練習

くりかえし学習することで、どんどん効果が増します。CD の音を気軽に聞き流すだけでもいいですし、声に出して練習すると、さらにいいでしょう。
☞「CD の使い方」（p.12）

This book is broadly divided into four sections: Foreword, Part 1, Part2, and Part 3. Study proceeds according to the steps listed below. By studying consistently and thoroughly, you will naturally achieve an ability to keep conversations going.

STEP 1 **Foreword: Enlivening Your Conversations: Continue Your Conversations and Convey Your Emotions**

Learn ways to keep your conversations going and convey your feelings.

STEP 2 **Part 1: Understanding Basic Expressions Through Forms**

In each of these parts, important sentence patterns will be introduced that are frequently used in conversations according to themes both big and small. After checking to make sure you know their meanings and how they are used in conversations, actual conversation practice will be given.

Sentence patterns in part 1 will focus on and be divided by form.

STEP 3 **Part 2: Basic Expressions by Purpose**

Next, you will learn sentence patterns that focus on and are divided by goal and function. This section pays special attention to your relation to the person you are speaking with and how to proceed with conversations in different situations. It consists of three sections: continuing / ending conversations, expressing your feelings, and pressing others into action.

STEP 4 **Part 3: Words Used in Explanations**

Finally, you will learn words and expressions used in descriptions and explanations.

STEP 5 **Repeat Exercises**

You will become proficient through repetition drills. You can simply listen to the CD, but it would be best to practice the drills out loud. (See: How to Use the CD, p.12))

本书由序章・PART1・PART2・PART3 四部分构成，大家可以通过以下的步骤进行学习。通过坚持不懈的练习，可以自然而然地掌握"提高会话能力"。

STEP 1 序章 让会话变得更加多姿多彩 —— 不断持续对话，相互传递心情

抓住将会话持续下去，相互传达心境的重点。

STEP 2 PART1 固定句型的基本表现

各章节以大小标题提示会话中经常使用的重要句型。

首先学习以「形」分类的句型。

STEP 3 PART2 目的分类的基本表现

其次学习以「目的」、「机能」分类的句型。这部分是以基于跟对方的关系,怎样将会话继续下去为主题，由三个部分构成：「持续或中止会话」「表达心境」「诱导对方」

STEP 4 PART3 说明用语

最后学习在表达说明、形容的词语中，特别是用于会话中的词语及表现。

STEP 5 反复练习

通过反复的练习，会增强学习效果。大家只要轻松地听 CD 即可，当然，发出声音进行练习会更有效果。☞ "CD 的使用方法"（p. 12）

本書の使い方

How to Use this Book ／ 本书的使用方法

テーマとなる文型を使ったフレーズの例です。

These are examples of sentence patterns that contain thematic expressions.

这是使用成为话题句型的句子范例。

テーマとなる文型を使ったモデル会話です。

These are model conversations that use sentence patterns that contain the thematic expressions.

这是使用话题句型的会话原型。

ローマ字読み

ローマ字読みを日本語の発音の参考にすることもできます。

Romaji readings can also be used as a Japanese pronunciation reference.

也可以凭借罗马字来作为日语发音的参考。

意味・使う場面

文型の意味や機能、使う場面などの説明です。

These are explanations of the meaning, function, or situations in which the sentence patterns are used.

这是句型的意思、功能以及使用场合等的说明。

テーマとなる文型です。同類のものを複数取り上げる場合もあります。

These are the sentence patterns that contain thematic expressions. Some contain several examples of the same category of expression.

这是话题的句型。有时候会列举无数的同类事物。

①文などに接続する形　▶ 01〜04

1 これ、何かの間違いかと思うんですけど

Kore, nanika no machigai **ka to** omou n desu kedo
(I believe there's some sort of mistake here／这个是不是搞错了？)

〜かと　　A roundabout expression
　　　　　　觉得是不是〜

Ⓐ〈会計伝票を見て〉これ、何かの間違い**かと**思うんですけど。頼んでないです。
Ⓑ申し訳ございません。確認いたしますので、少々お待ちください。
Ⓐお願いします。

Ⓐ <Kaikee denpyoo o mite> Kore, nanika no machigai **ka to** omou n desu kedo. Tanondenai desu.
Ⓑ Mooshiwake gozaimasen. Kakunin itashi masu node, shooshoo omachi kudasai.
Ⓐ Onegaishimasu.

Ⓐ (Looking at a bill) I believe there's some sort of mistake here. I never ordered this.
Ⓑ I'm sorry. Please wait one moment while I make sure.
Ⓐ Please do.

Ⓐ〈看收据〉这个是不是搞错了？ 我没要这个。
Ⓑ实在抱歉，马上确认一下，请稍等。
Ⓐ麻烦你。

意味・使う場面　「〜と思う」を遠回しに言いたいとき、「〜かと（思う）」を使います（⇒断定を避け、疑問を示す形で相手に伝える）。直接的に「（あなたの）間違い**だ**と思います」と言うより、間接的に「間違い**か**と思います」（会話例①参照）と言うほうが、柔らかい印象になります。

~kato is used when wanting to say that you believe something to be the case in a roundabout way (communicating your belief as a question in order to avoid making a firm statement). Rather than saying "I think this is your mistake," saying that "I believe there is a mistake" (→①) gives a softer impression.

不直接说「〜と思う」，用「〜かと（思う）」表示（回避题定、以疑问的形式传达给对方），间接说「觉得是不是搞错了」比直接说「我认为是你的错」语气要温和。

| 基本パターン | ［文（判断や推測など）］ ＋ **かと** ＋ 思う など |

18

基本パターン

その文型を使った表現の基本的な型を示しています。

These are basic types of expressions that use the sentence patterns.

表示出使用此句型的表达方式的基本原型。

10

この本で使っている記号　Legends Used in this Book　本书所使用的记号

V ＝動詞　verb　动词
A ＝い形容詞　i-adjective　い形容詞
NA ＝な形容詞　na-adjective　な形容詞
N ＝名詞　noun　名词

Vる＝動詞辞書形　dictionary form of verb　动词 辞书形
Vた＝動詞た形　verb-ta form　动词 た行
Vない＝動詞ない形　verb-nai form　动词 ない形
Vう＝動詞意向形　volitional form of verb　动词 意向形

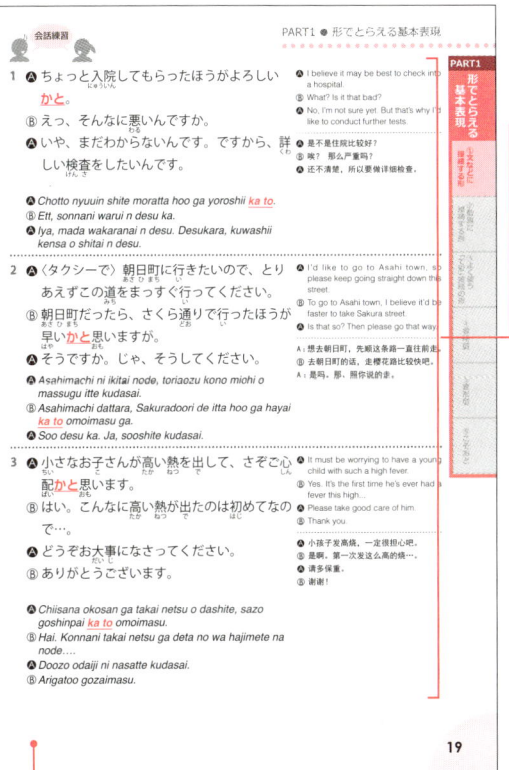

会話練習

文型を使った2～3の会話例を紹介しています。（全体が1ページの場合は1～2例）

Two or three conversations are provided for each pattern. (When there is just one page, one are two to four examples.)

介绍使用句型2～3的会话范例。（全部只有一页的时候是1～2例）

※会話例が1つの場合も、番号として「1」を付けています。

Even when there is only one sample conversation, it is still numbered "1."

表示出使用此句型的表达方式的基本原型。能通过意思和会话例子为一个的场合时也标有编号「1」。

MEMO

「会話練習」の会話文についての補足説明です。主に語句に関するものです。

These are supplementary explanations of conversation texts in the "conversation drills." They are usually related to the words and phrases.

关于"会话练习"的会话文的补充说明。主要是关于语句的内容。

CDの使い方

付属CDには、モデル会話と「会話練習」の会話文（日本語）がすべて収録されています。

❶ まず最初に、2ページ（または1ページ）の中で紹介されている会話文をすべて読みましょう。一つ一つ意味を理解し、会話が行われている場面をイメージしてみましょう。

❷ 次に、本を見ながらCDを聞きましょう。どんな音で話されているか、イントネーションなど、音のニュアンスをつかみながら確認しましょう。

❸ 本を見ながらCDの音を聴き、すぐ後を追いかけるように、まねして口に出しましょう。

❹ 今度は本を見ないで、同じように練習しましょう。

How to Use the CD

The enclosed CD contains all of the model conversations and conversation texts (Japanese) in the "conversation drills" section.

❶ First read all of the conversation texts listed on the two pages (or one page) for each pattern. Try to understand the meaning of each and imagine where the conversations are taking place.

❷ Next, listen to the CD while you read the book. Pay close attention to the types of sounds spoken, intonations, and nuances in speech.

❸ Listen to the CD while reading the text. Try to mimic the sounds aloud directly after they are spoken.

❹ Now practice the same way again without looking at the book.

CD 的使用方法

附带的CD收录书中所有的会话原型和"会话练习"中的会话文（日语）。

❶ 首先，我们要学习第二页（或第一页）中所介绍的会话文，然后一个一个地具体理解会话的意思，并且想象会话的场面。

❷ 第二步，边看书变听CD，边听边确认怎样发音、声调和声音的语感。

❸ 边看书边听CD，并且趁热打铁地进行模仿练习。

❹ 最后，不要看书，进行同样的训练。

〈音声ダウンロードのしかたはこちら〉

シリアルコードは「22440」です。

序章
会話をより豊かなものに
――会話を続け、気持ちを伝え合おう

Preface
Enlivening Your Conversations:
Continue Your Conversations
and Convey Your Emotions

序章
让会话变得更加多姿多彩
—— 不断持续对话，相互传递心情

序章

Preface ／ 序章

もう基本的な知識は身につけて、りっぱに日本語でやっていけるあなたですが、ここでさらに飛躍して、会話をより豊かなものにしましょう。

While you may have already learned the basics of Japanese and are now able to use the language well, why not go even further to add more depth to your conversations?

掌握了基本的日语知识，能够熟练运用日语的你，在这里将会实现更大的飞跃，提高你的口语能力！

1 会話は相手とのやりとり
Conversations are an exchange 会话是与说话对象的你来我往

まず、会話は自分一人で行うものではありません。必ず相手があります。会話がうまくいくためには、相手との関係を整え、共につくっていくことが必要です。「あのう」などと相手に話しかけることは『基本文型88』でもう身に付けました。相手はこちらを向いて、話しかけに応じてくれる姿勢を見せています。その相手との話し方を考えてみましょう。

First, keep in mind that conversations are not something done alone. There is always someone you are speaking to in any conversation. For one to go well, both sides must understand their relationship to the other as they build the conversation together. You already learned how to begin speaking to someone with terms such as 「あのう」 in 88 Basic Patterns for Japanese Conversation. Let's think about how to speak to someone after they face you and show they're prepared to speak with you.

首先，会话不是一个人完成的，一定会有说话的对象。为了让会话能顺利进行下去，需要与对方建立良好的关系，共同完成下去。在《基本句型88》中，大家已经掌握了像"あのう"一样与对方打招呼的语言。对方会对着我们，表现出互动的姿态。这时候，我们就要考虑与对方说话的方式了。

2 相手の話に反応する
Respond to what the other person says 就对方的说话内容做出回应

話に応じてくれた相手に対しては、相手と調子を合わせる、適切な反応をすることから始めましょう。ただ「はい、わかりました」ではなく、「確かにそうですね」「そのとおりです」と賛成したり、相手が話を続けやすいように「へえ」「そう」などと応答することが大切です。時には「そんなことない」と軽く否定したりすることも、相手が真剣に話してくれるようにするために必要なことです。

Begin by following the lead established by the person you are speaking to, and by responding appropriately. Instead of using just 「はい、わかりました」, it is important to agree by using terms such as 「確かにそうですね」 and 「そのとおりです」, and to respond in ways that will make them want to continue speaking, such as by saying 「へえ」 and 「そう」. Occasional mild disagreements, done by saying things such as 「そんなことない」, are also needed to keep the person you are speaking with in a serious mood.

对方回应我们之后，我们要从配合对方的情况，做出适宜的反应开始。不是仅仅只说"はい、わかりました"，而是要赞成对方时说，"確かにそうですね"、"そのとおりです"，让对方继续说下去的时候，会用"へえ"、"そう"来应答，这都是很重要的。有时候，也可以轻微地用"そんなことない"否定一下，这些表达方式是为了让对方认真地与我们说话所做出的必要反应。

3 まとまった話をする
Speak in clear ideas　进行系统的对话

　　会話を豊かなものにするには、挨拶などの決まり文句だけでなく、ある程度まとまった内容のある話をする会話力がぜひ必要です。それには、「相手の話を受けて続ける」ことや「内容を付け足す」ことも望まれます。また、最後には「そういうことで」「以上です」などと、きちんと話を終える技術も、今回ぜひ身に付けてください。

To enrich your conversations, it is vital to have the conversational skills that will allow you to speak about reasonably clear ideas, rather than in only established phrases such as greetings alone. To do this, you must be able to pick up and continue a conversation when someone hands it off to you, and you must also be able to add further information to what they are speaking about. Finally, please use this opportunity to acquire the ability to properly end stories by saying things such as 「そういうことで」 and 「以上です」 when you are done speaking.

丰富的会话内容，不仅需寒暄语这样的固定词句，在某种程度上，拥有进行内容系统的会话能力也是有必要的。对此，我们希望"听到对方的谈话之后再继续与对方互动下去"，或"增加谈话的内容"。另外，我们也能在此学到，会话的最后用"そういうことで"、"以上です"等进行完整结尾的技能。

4 自分の気持ちをこめて働きかける
Try to incorporate your own feelings　用心营造会话

相手と人間らしい会話をするには、相手に働きかけることが必要です。「よかった」「困った」「驚いた」「感心した」などの自分の気持ちが伝えられるよう、適切な表現を学びとることが大切です。また、「すばらしい」「大したもんだ」と相手を良く評価するだけでなく、時には「ただし」「だって」と相手に不満を表明したり自分を主張することもしなければ、本当に人間らしいコミュニケーションは生まれてきません。

When having personal conversations with others, it is important to appeal to them, making it vital to learn appropriate expressions for conveying your own feelings, such as 「よかった」,「困った」,「驚いた」, and「感心した」. Also, truly personal conversations cannot come about by using only phrases that praise the person you are speaking to, such as「すばらしい」 and 「大したもんだ」. For that to happen, expressions that express your displeasure or your own opinions are needed as well, such as「ただし」 and 「だって」.

要与对方进行有人情味的对话，就需要与对方互动。我们需要学习一些贴切的表达方式，比如用"よかった"、"困った"、"驚いた"、"感心した"等就能很好地表达自己的心情。另外，不仅仅用"すばらしい"、"大したもんだ"等表达方式表示对对方的好评，有时候，如果不使用"ただし"、"だって"这样的词语向对方表示自己的不满或主张，就不能产生真正的人与人之间的交流。

5 基本的な表現や会話ならではの言葉を身につける
Learn basic expressions and conversational words　掌握基本的表达方式和地道的口语

以上のような会話をするため、もう一度、基本的な力を確認しておきましょう。「あれ・これ」「てみる」「てもらう」などの基本的な表現や、「わけ」「かたち」「何とか」などの微妙なニュアンスをもつ会話ならではの表現も、きちんとモノにしましょう。そして、こうして得た会話の方法や技術、表現を武器に、どんどん会話の実戦の場に繰り出していってください。

Make sure one more time that you have the basic language skills needed in order to have these kinds of conversations. This includes basic expressions such as 「あれ・これ」,「てみる」, and 「てもらう」 as well as more finely nuanced expressions such as 「わけ」,「かたち」 and 「何とか」. Once you do, use these conversation methods, techniques, and expressions as weapons in your fight to master conversational Japanese.

要掌握以上的对话，还需要再次确认基本的口语能力。我们应该正确掌握像"あれ・これ""てみる""てもらう"等基本的表达方式，以及"わけ""かたち""何とか"等具有微妙语感的地道口语表达方式。然后，以学习到的会话方法、技能和表达方式为武器，在实际的会话战场中反复运用。

PART1
形でとらえる基本表現
かたち　　　　　　　　きほんひょうげん

PART1
Understanding Basic Expressions
Through Forms

第1部分
固定句型的基本表現

①文などに接続する形　01〜04

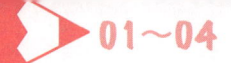

1　これ、何かの間違い**かと**思うんですけど

*Kore, nanika no machigai **ka to** omou n desu kedo*
(I believe there's some sort of mistake here／这个是不是搞错了？)

〜かと　　A roundabout expression
觉得是不是〜

Ⓐ〈会計伝票を見て〉これ、何かの間違い**かと**思うんですけど。頼んでないです。
Ⓑ申し訳ございません。確認いたしますので、少々お待ちください。
Ⓐお願いします。

Ⓐ (Looking at a bill) I believe there's some sort of mistake here. I never ordered this.
Ⓑ I'm sorry. Please wait one moment while I make sure.
Ⓐ Please do.

Ⓐ（看收据）这个是不是搞错了？ 我没要这个。
Ⓑ 实在抱歉，马上确认一下，请稍等。
Ⓐ 麻烦你。

Ⓐ <Kaikee denpyoo o mite> Kore, nanika no machigai **ka to** omou n desu kedo. Tanondenai desu.
Ⓑ Mooshiwake gozaimasen. Kakunin itashi masu node, shooshoo omachi kudasai.
Ⓐ Onegaishimasu.

意味・使う場面

「〜と思う」を遠回しに言いたいとき、「〜かと（思う）」を使います（⇒断定を避け、疑問を示す形で相手に伝える）。直接的に「（あなたの）間違いだと思います」と言うより、間接的に「間違いかと思います」（会話例①参照）と言うほうが、柔らかい印象になります。

~kato is used when wanting to say that you believe something to be the case in a roundabout way (communicating your belief as a question in order to avoid making a firm statement). Rather than saying "I think this is your mistake," saying that "I believe there is a mistake" (→①) gives a softer impression.

不直接说「〜と思う」，用「〜かと（思う）」表示（回避断定、以疑问的形式传达给对方）。间接说「觉得是不是错了」比直接说「我认为是你的错」语气要温和。

基本パターン　　［文（判断や推測など）］＋**かと**＋思うなど）

PART1 ● 形でとらえる基本表現

1
- Ⓐ ちょっと入院してもらったほうがよろしい<u>かと</u>。
- Ⓑ えっ、そんなに悪いんですか。
- Ⓐ いや、まだわからないんです。ですから、詳しい検査をしたいんです。

- Ⓐ *Chotto nyuuin shite moratta hoo ga yoroshii <u>ka to</u>.*
- Ⓑ *Ett, sonnani warui n desu ka.*
- Ⓐ *Iya, mada wakaranai n desu. Desukara, kuwashii kensa o shitai n desu.*

- Ⓐ I believe it may be best to check into a hospital.
- Ⓑ What? Is it that bad?
- Ⓐ No, I'm not sure yet. But that's why I'd like to conduct further tests.

- Ⓐ 是不是住院比较好？
- Ⓑ 唉？ 那么严重吗？
- Ⓐ 还不清楚，所以要做详细检查。

2
- Ⓐ〈タクシーで〉朝日町に行きたいので、とりあえずこの道をまっすぐ行ってください。
- Ⓑ 朝日町だったら、さくら通りで行ったほうが早い<u>かと</u>思いますが。
- Ⓐ そうですか。じゃ、そうしてください。

- Ⓐ *Asahimachi ni ikitai node, toriaezu kono michi o massugu itte kudasai.*
- Ⓑ *Asahimachi dattara, Sakuradoori de itta hoo ga hayai <u>ka to</u> omoimasu ga.*
- Ⓐ *Soo desu ka. Ja, sooshite kudasai.*

- Ⓐ I'd like to go to Asahi town, so please keep going straight down this street.
- Ⓑ To go to Asahi town, I believe it'd be faster to take Sakura street.
- Ⓐ Is that so? Then please go that way.

- A：想去朝日町，先顺这条路一直往前走。
- Ⓑ 去朝日町的话，走樱花路比较快吧。
- A：是吗。那，照你说的走。

3
- Ⓐ 小さなお子さんが高い熱を出して、さぞご心配<u>かと</u>思います。
- Ⓑ はい。こんなに高い熱が出たのは初めてなので…。
- Ⓐ どうぞお大事になさってください。
- Ⓑ ありがとうございます。

- Ⓐ *Chiisana okosan ga takai netsu o dashite, sazo goshinpai <u>ka to</u> omoimasu.*
- Ⓑ *Hai. Konnani takai netsu ga deta no wa hajimete na node….*
- Ⓐ *Doozo odaiji ni nasatte kudasai.*
- Ⓑ *Arigatoo gozaimasu.*

- Ⓐ It must be worrying to have a young child with such a high fever.
- Ⓑ Yes. It's the first time he's ever had a fever this high...
- Ⓐ Please take good care of him.
- Ⓑ Thank you.

- Ⓐ 小孩子发高烧，一定很担心吧。
- Ⓑ 是啊。第一次发这么高的烧…。
- Ⓐ 请多保重。
- Ⓑ 谢谢!

2 疲れてる**からって**、休むわけにいかないよ

*Tsukareteru **kara tte**, yasumu wake ni ikanai yo*
(I can't take the day off just because I'm tired ／虽说累也不能休息啊)

〜からって　　just because 〜　虽说〜即使

Ⓐ 大丈夫？　疲れがたまってるんじゃない？
Ⓑ うん…。
Ⓐ 今日は仕事、休んだら？
Ⓑ 何言ってるんだよ。疲れて**るからって**、休むわけにいかないよ。

Ⓐ Are you okay? Aren't you feeling tired after all this time?
Ⓑ Well....
Ⓐ Why don't you take today off from work?
Ⓑ What are you talking about? I can't take the day off just because I'm tired.

Ⓐ 不要紧吗？　是不是疲劳过度？
Ⓑ 嗯…。
Ⓐ 今天别去上班了。
Ⓑ 你说什么啊！　虽说累也不能休息啊！

Ⓐ *Daijoobu? Tsukare ga tamatteru n ja nai?*
Ⓑ *Un….*
Ⓐ *Kyoo wa shigoto, yasundara?*
Ⓑ *Nani itteru n da yo. Tsukareteru **kara tte**, yasumu wake ni ikanai yo.*

意味・使う場面

「〜からって」は「〜からといって」の短い形。主に「〜からって…することはできない」などの表現で「〜が正当な理由にならない」という判断を示します。相手の行為や発言を否定したり戒めることが多いです。

「〜からって」 is a shortening of 「〜からといって」. It is mainly used in forms such as 「〜からって…することはできない」 to show a decision that something is not a proper reason for action. It is often used to repudiate or caution another's words or actions.

「〜からって」是「〜からといって」的短缩形，主要用「〜からって…することはできない／即使〜也不能〜」的表现来表示「〜が正当な理由にならない／〜不能成为真正的理由」的判断。多用于否定、警戒对方的行为。

基本パターン　　[文（理由・原因）] ＋ **からって** ＋ [行為や結果の否定]

 会話練習

PART1 ● 形でとらえる基本表現

1 Ⓐ これ、すごくおいしい。
　 Ⓑ おいしい**からって**、食べ過ぎないで。
　 Ⓐ わかってるって。

　 Ⓐ *Kore, sugoku oishii.*
　 Ⓑ *Oishii **kara tte**, tabe suginai de.*
　 Ⓐ *Wakatteru tte.*

Ⓐ This is delicious.
Ⓑ Just because it's delicious doesn't mean you can gorge on it.
Ⓐ I know that.

Ⓐ 这个太好吃了！
Ⓑ 好吃也不能吃得过多。
Ⓐ 知道了！

2 Ⓐ 石川さん、朝から機嫌悪いね。
　 Ⓑ また？　いくら忙しい**からって**いらいらしないでほしいね。
　 Ⓐ ほんと。

　 Ⓐ *Ishikawa-san, asa kara kigen warui ne.*
　 Ⓑ *Mata? Ikura isogashii **kara tte** iraira shinai de hoshii ne.*
　 Ⓐ *Honto.*

Ⓐ Ishikawa-san has been in a bad mood all day.
Ⓑ Again? I wish he wouldn't get so annoyed just because he's busy.
Ⓐ I know.

Ⓐ 石川从早上就不高兴。
Ⓑ 又不高兴了？　再忙也不应该表露出心烦的样子啊！
Ⓐ 是啊！

3 Ⓐ 外国で暮らすと言葉が上手になりますかね。
　 Ⓑ いやあ、ただ住んでる**からって**、上手くはならないですよ。
　 Ⓐ まあ、そうですよね。
　 Ⓑ 積極的に話すことですよ。

　 Ⓐ *Gaikoku de kurasu to kotoba ga joozu ni narimasu ka ne.*
　 Ⓑ *Iyaa, tada sunderu **kara tte**, umaku wa naranai desu yo.*
　 Ⓐ *Maa, soo desu yo ne.*
　 Ⓑ *Sekkyokutekini hanasu koto desu yo.*

Ⓐ Living overseas helps you get better at that language.
Ⓑ No, just because you live there doesn't mean you become better.
Ⓐ Well, that is true.
Ⓑ It's all about going out of your way to talk to people.

Ⓐ 生活在国外语言就会进步很快啊。
Ⓑ 不是的，只是住在那里是不会进步的。
Ⓐ 啊！　是啊。
Ⓑ 重要的是要积极说。

3 田中さんの考え方は古いというか…

Tanaka-san no kangaekata wa furui to iu ka…
(I guess you could say Tanaka-san's way of thinking is old ／
田中的想法好像有点守旧)

〜というか／〜っていうか　　you could say 〜
怎么说好呢

ⓐ 田中さんの考え方は古い<u>というか</u>…。
ⓑ そうそう。なんていうのかなあ。
ⓐ 今の時代に合ってないよね。

ⓐ *Tanaka-san no kangaekata wa furui <u>to iu ka</u>….*
ⓑ *Soosoo. Nan te iu no kanaa.*
ⓐ *Ima no jidai ni attenai yo ne.*

ⓐ I guess you could say Tanaka-san's way of thinking is old, or...
ⓑ You're right. How would you explain it.
ⓐ It's like he's behind the times.

ⓐ 田中的想法好像有点守旧…。
ⓑ 是啊。怎么说好呢。
ⓐ 跟不上时代。

▶ それを一言で表せる言葉がすぐに思い浮かばないときに使います。「最適な表現ではないが」という気持ちを含みます。「〜というか」をくり返し使う「Xというか、Yというか」という形もあります。

Used when it's hard to think of the right word to describe something. Includes the connotation of "this isn't the best way to say it." Can also be used by repeating「〜というか」, such as「Xというか、Yというか」.
用于马上想不出适当的词语来表示。含有「最適な表現ではないが／不是确切的表达」的语气。也可以说「Xというか、Yというか」重复使用。

| 基本パターン | [A／N／文など] ＋ **というか／っていうか** |

1
ⓐ なんか、この料理、素人っぽい<u>っていうか</u>…。
ⓑ うん。誰にでも作れそう。
ⓐ なのに高いよね。

ⓐ *Nan ka, kono ryoori, shirooto ppoi <u>tte iu ka</u>….*
ⓑ *Un. Dare ni demo tsukure soo.*
ⓐ *Nanoni takai yo ne.*

ⓐ It's like you could say this cooking seems amateurish, or...
ⓑ Yes. It's like anyone could make it.
ⓐ Yet they're charging so much.

ⓐ 觉得这菜就像外行做的似的。
ⓑ 嗯！好像谁都能做。
ⓐ 还这么贵。

22

4 おかずというより、おかしだね

Okazu to iu yori, okashi dane
(It's more like candy than a side dish ／简直就是点心啊)

～というより／～っていうより　more like than ～
与其说～、简直就是～

- Ⓐ これ、ちょっと甘すぎない？
- Ⓑ おかず<u>というより</u>、おかしだね。
- Ⓐ これでご飯は食べられないなあ。

Ⓐ *Kore, chotto amasugi nai?*
Ⓑ *Okazu to iu yori, okashi da ne.*
Ⓐ *Kore de gohan wa taberare nai naa.*

Ⓐ Isn't this a little too sweet?
Ⓑ It's more like candy than a side dish.
Ⓐ I can't eat this together with rice.

Ⓐ 这个，是不是太甜？
Ⓑ 简直就是点心啊。
Ⓐ 这样就不用吃饭了！（吃不下饭了）

▶「XというよりⓂY」の形で、「XよりYのほうが適当だ」という意味を表します。「Xの面があることを認めながら、それよりもYとすべきだ」という、話し手の考えを伝えます。

Used in the form of "it's more like (Y) than (X)," as in "it would be more appropriate to call it (Y) than (X)." Used to convey the speaker's thought that "while I understand that it is in part (X), it is more like (Y)."

用「XというよりⓂY」的形式表示「XよりYのほうが適当だ」的意思。表达说话人「Xの面があることを認めながら、それよりもYとすべきだ」的语气。

基本パターン　[あまり適当でない表現] ＋ **というより** ＋ [より適当な表現]

1
- Ⓐ トイレの壁が落書きだらけ。
- Ⓑ うん。ひどいね。
- Ⓐ これじゃ、もう、いたずら<u>というより</u>犯罪でしょう。
- Ⓑ そうだね。

Ⓐ *Toire no kabe ga rakugaki darake.*
Ⓑ *Un. Hidoi ne.*
Ⓐ *Kore ja, moo, itazura to iu yori hanzai deshoo.*
Ⓑ *Soo da ne.*

Ⓐ The bathroom walls are covered in graffiti.
Ⓑ I know. Isn't it terrible?
Ⓐ This is more like a crime than a simple prank.
Ⓑ It really is.

Ⓐ 厕所的墙上画得乱糟糟的！
Ⓑ 嗯。太不像话了。
Ⓐ 这样，与其说是捣乱不如说是犯罪啊！（这哪是捣乱，简直就是犯罪）
Ⓑ 是啊。

②動詞に接続する形　05〜06

5　行け**ないことはない**んですけど…

Ike**nai koto wa nai** n desu kedo….
(It's not as if I can't go, but../不是不能去可是…)

〜ないことはない　　not as if (you) can't
不是不能去可是…

Ⓐ 田中さんも行くでしょ？
Ⓑ 行け**ないことはない**んですけど…。
Ⓐ えっ、行かないの？

Ⓐ Tanaka-san mo iku desho?
Ⓑ Ike**nai koto wa nai** n desu kedo….
Ⓐ Ett, ikanai no?

Ⓐ You're coming too, aren't you Tanaka-san?
Ⓑ It's not as if I can't go, but...
Ⓐ What? You're not coming?

Ⓐ 田中也去吧？
Ⓑ 不是不能去可是…。
Ⓐ 咦？ 你不去？

▶ 「〜ないことはない」は、「〜」の可能性を示す表現です。積極的な見方を表す場合もあれば、消極的な見方を表す場合もあります。

A「〜ないことはない」indicates the potential nature of "〜". While it can also be used to express a positive outlook, it can also be used to express a negative outlook.

「〜ないことはない」表示「〜」的可能性。既有积极的一面也有消极的一面。

| 基本パターン | Ｖない／Ｖ可能形 + **ないことはない** |

1　Ⓐ さすがに優勝は無理じゃない？
　　Ⓑ 最初からあきらめたらだめだよ。やってやれ**ないことはない**って。
　　Ⓐ そうだね。じゃ、目標は優勝だ。

　　Ⓐ Sasuga ni yuushoo wa muri ja nai?
　　Ⓑ Saisho kara akirametara dame da yo. Yatte yare**nai koto wa nai** tte.
　　Ⓐ Soo da ne. Ja, mokuhyoo wa yuushoo da.

　　Ⓐ There's no way we could win, is there?
　　Ⓑ You can't give up before you even start. It's not as if you can't do it.
　　Ⓐ You're right. We'll go for the win, then.

　　Ⓐ 看来赢是不是不可能了？
　　Ⓑ 开始就泄气不行啊！ 不是不可能的！
　　Ⓐ 是啊！ 那，目标是得冠军。

6 なくさないようご注意ください
Nakusanai yoo gochuui kudasai.
(Please be careful not to lose it ／注意不要弄丢了)

～よう
so that / in order
要～

Ⓐ こちらが入口の鍵です。
Ⓑ はい。
Ⓐ なくさないようご注意ください。

Ⓐ *Kochira ga iriguchi no kagi desu.*
Ⓑ *Hai.*
Ⓐ *Nakusanai yoo gochuui kudasai.*

Ⓐ This is the key for the entrance.
Ⓑ Okay.
Ⓐ Please be careful not to lose it.

Ⓐ 这是门钥匙。
Ⓑ 好的。
Ⓐ 注意不要弄丢了。

▶「～よう」は「～ために」とだいたい意味は同じです。「よう」の前には目標や意図する結果・状態が来ます。「～ますように。」はお祈りの決まり文句です。
例：試験に合格しますように。／家族が健康で暮らせますように。

「～よう」 means roughly the same as 「～ために」. A desired result or situation comes before 「よう」.「～ますように。」is a common form used for prayers.

「～よう」与「～ために」意思相近。「よう」前接表示目标、有意图的结果・状态。「～ますように。」是表示祝愿的固定说法。

| 基本パターン | [好ましい状況や目標など] ＋ **よう**（に）＋Ｖする／Ｖたい |

1. Ⓐ 体にいいこと、何かしてますか。
   Ⓑ 食べすぎないよう注意してます。

   Ⓐ *Karada ni iikoto, nani ka shitemasu ka.*
   Ⓑ *Tabesugi nai yoo chuui shitemasu.*

   Ⓐ Do you do anything to stay healthy?
   Ⓑ I make sure not to eat too much.

   Ⓐ 对身体好的事，你有什么注意吗？
   Ⓑ 注意不要吃得过多。

2. Ⓐ 計画は順調に行ってますか。
   Ⓑ ええ、おかげさまで。
   Ⓐ じゃ、うまくいくよう祈ってます。

   Ⓐ *Keekaku wa junchoo ni ittemasu ka.*
   Ⓑ *Ee, okagesama de.*
   Ⓐ *Ja, umaku iku yoo inottemasu.*

   Ⓐ Are your plans going well?
   Ⓑ Yes, thank you.
   Ⓐ Well, may they continue to go well.

   Ⓐ 计划在顺利进行吗？
   Ⓑ 是，托您的福。
   Ⓐ 那，祝一切顺利！

③よく使う「て形」接続の形　07〜09

7　ちょっと考えてみるよ
Chotto kangaete miru yo
(I'll try thinking about it ／让我再想想)

〜てみる　　try 〜 ／〜试试看（〜一下）

Ⓐ 一緒に料理教室に通わない？
Ⓑ うーん…続くかなあ。まあ、ちょっと考えてみるよ。

Ⓐ Issho ni ryoori kyooshitsu ni kayowanai?
Ⓑ Uun…tsuzuku kanaa. Maa, chotto kangaete miru yo.

Ⓐ Would you like to go to cooking class together with me?
Ⓑ Hmm... I don't know if I'd keep going. I'll try thinking about it.

Ⓐ 不一起去参加料理的学习？
Ⓑ 嗯…不知道能不能坚持下去。让我再想想。

▶「試しに、ちょっとする」という意味です。実際はどうなのか、まだわからないときに使います。他の文型と結びつくことが多いです。

Means "to attempt, to try." Used when you still are unsure how something is or will be.
试试看、〜一下」的意思。用于实际上怎么样还不知道时。

| 基本パターン | （ちょっと／一回／試しに）＋ Ｖ てみる |

1
Ⓐ 色はピンクかオレンジで、イラストをたくさん入れるといいと思います。
Ⓑ 実際見てみないと、何とも言えないなあ。

Ⓐ Iro wa pinku ka orenji de, irasuto o takusan ireru to ii to omoimasu.
Ⓑ Jissai mite minaito, nantomo ienai naa.

Ⓐ I think the color should be pink or orange, and that it should have lots of illustrations.
Ⓑ It's hard to say unless we try doing it first.

Ⓐ 颜色用粉色或橙色，多加一些插图好。
Ⓑ 结果怎么样，还很难说。

2
Ⓐ 田中さんって、どんな人？
Ⓑ ちょっと恐そうだけど、話してみたらいい人だよ。

Ⓐ Tanaka-san tte, donna hito?
Ⓑ Chotto kowasoo dakedo, hanashite mitara ii hito da yo.

Ⓐ What kind of person is Tanaka-san?
Ⓑ He seems somewhat scary, but he's actually nice when you try talking to him.

Ⓐ 田中是个什么样的人？
Ⓑ 看上去挺可怕的，说起话来人还是不错的啊！

8 じゃ、食べてあげるよ

Ja, tabete ageru yo

(Then I'll eat those for you ／那，我吃给你看啊)

～てあげる／～てやる　(Do) for ／给你～

Ⓐ トマトは苦手なんだよね。
Ⓑ じゃ、食べてあげるよ。ちょうだい。

Ⓐ *Tomato wa nigate nan da yo ne.*
Ⓑ *Ja, tabete ageru yo. Choodai.*

Ⓐ I don't like tomatoes.
Ⓑ Then I'll eat those for you. Can I have them?

Ⓐ 你不喜欢西红柿吧。
Ⓑ 那，我吃给你看啊！给我。

▶「その人のためにする」という意味を表します。上の立場から言っているような印象になりやすいので、直接相手に言うのは、親しい間に限られます。

Means "to do something for someone else." Can easily sound like you are in a superior position to the person you are speaking to, so it is only said directly to people you are close to.

有「その人のためにする／为某人做」的意思。有种由上至下的语气，直接跟对方说时只限于关系亲密的人。

| 基本パターン | （その人のためになるように）｛てあげる／てやる｝ |

1
Ⓐ それ、持ってあげようか。
Ⓑ ありがとう。でも、いいよ。自分で持つから。

Ⓐ *Sore, motte ageyoo ka.*
Ⓑ *Arigatoo, Demo, ii yo. Jibun de motsu kara.*

Ⓐ Let me hold that for you.
Ⓑ Thanks, but I'm fine. I can hold it myself.

Ⓐ 那个，我帮你拿吧？
Ⓑ 谢谢！还是我自己拿吧。

2
Ⓐ えっ、見なかったの？　せっかく教えてやったのに。
Ⓑ ごめん。うっかり忘れて、別の番組見ちゃった。

Ⓐ *Ett, minakatta no? Sekkaku oshiete yatta noni.*
Ⓑ *Gomen. Ukkari wasurete, betsu no bangumi michatta.*

Ⓐ You didn't see it? I even told you about it.
Ⓑ Sorry. I forgot and watched another program.

Ⓐ 没看啊？　特意告诉你的。
Ⓑ 对不起。我给忘了，看别的节目了。

9 ちょっと聞いてくれる？

Chotto kiite kureru?
(Hey, could I talk to you about something?／你听我说一下好吗？)

～てくれる／～てもらう　　To do for
　　　　　　　　　　　　给我～

- Ⓐ ちょっと聞いてくれる？　もう、頭に来ちゃった。
- Ⓑ どうしたの、いったい？

- Ⓐ *Chotto kiite kureru? Moo, atama ni kichatta.*
- Ⓑ *Dooshitano, ittai?*

- Ⓐ Hey, could I talk to you about something? This has got me bothered.
- Ⓑ What's wrong?

- Ⓐ 你听我说一下好吗？　真是气死我了！
- Ⓑ 怎么了？　究竟？

意味・使う場面　恩恵を受けることをありがたく思う気持ちを表します。敬語の場合は、「～てくれる」は「～てくださる」に、「～てもらう」は「～ていただく」になります。

Used to indicate that you appreciate someone's help or favor. In honorific speech, it is written 「～てくださる」, as well as 「～いただく」instead of 「～てもらう」.

表示接受恩惠表示感谢的语气。敬语时将「～てくれる」说成「～てくださる」,「～てもらう」说成「～いただく」。

基本パターン	N（人など）が　＋　（私に）　＋　Vてくれる （私は）　　　＋　N（人など）に＋Vてもらう

会話練習

PART1 ● 形でとらえる基本表現

1 Ⓐ ぼくの言うこと、わかっ**てくれる**よね？
　Ⓑ もちろん、わかるよ。

Ⓐ Boku no iu koto, waka**tte kureru** yo ne?
Ⓑ Mochiron, wakaru yo.

Ⓐ You'll understand, right?
Ⓑ Of course I do.

Ⓐ 我说的你能理解吧？
Ⓑ 当然了。

---

2 Ⓐ じゃ、私、買ってくるから、席とっ**てもらえ**る？
　Ⓑ わかった。じゃ、ぼくはコーヒーね。

Ⓐ Ja, watashi, kattekuru kara, seki totte**te moraeru**?
Ⓑ Wakatta. Ja, boku wa koohii ne.

Ⓐ I'll go buy it, so could you secure the seats?
Ⓑ Okay. I'll have a coffee.

Ⓐ 那、我去买，你去占个座吧？
Ⓑ 好！那，我要咖啡。

---

3 Ⓐ 社長はいちいち口をはさんでくるから困るよね。
　Ⓑ ほんと。こっちに任せ**てくれ**ればいいのに。

Ⓐ Shachoo wa ichiichi kuchi o hasande kuru kara komaru yo ne.
Ⓑ Honto. Kocchi ni makase**te kure**reba ii noni.

Ⓐ It's hard to work with the president because he inserts himself into every little thing.
Ⓑ It really is. I wish he'd leave it in our hands.

Ⓐ 社长总是一个一个叮嘱，真啰唆啊。
Ⓑ 是啊。都交给我们做不就行了。

---

4 Ⓐ もうちょっとそっちに寄っ**てもらえ**ない？狭くて。
　Ⓑ （体を片方に寄せて）これでいい？
　Ⓐ うん、ありがとう。

Ⓐ Moo chotto socchi ni yotte**te morae**nai? Semakute.
Ⓑ (Karada o kataho ni yosete) kore de ii?
Ⓐ Un, arigatoo.

Ⓐ Could you go a little farther over that way? It's cramped in here.
Ⓑ (Moving body to one side) Is this okay?
Ⓐ Yes, thank you.

Ⓐ 能不能再往那边儿靠靠？ 太挤了。
Ⓑ （身体侧向一边）这样可以了？
Ⓐ 嗯，谢谢！

④ 省略型　10〜13

10　明日の予定は？
Ashita no yotee **wa**?
(What about your plans for tomorrow？／明天有什么预定吗？)

〜は？　　　What about 〜 ?
　　　　　　呢？

Ⓐ 明日の予定**は**？
Ⓑ 明日は特に予定ない。
Ⓐ じゃ、買い物に付き合ってくれない？
Ⓑ いいよ。

Ⓐ Ashita no yotee **wa**?
Ⓑ Ashita wa tokuni yotee nai.
Ⓐ Ja, kaimono ni tsukiatte kurenai?
Ⓑ Ii yo.

Ⓐ What about your plans for tomorrow?
Ⓑ I don't have anything in particular tomorrow.
Ⓐ Then will you come shopping with me?
Ⓑ Sure.

Ⓐ 明天有什么预定吗?
Ⓑ 明天没有什么预定。
Ⓐ 那，陪我去买东西？
Ⓑ 好啊。

▶ 特に親しい間で何かを聞くときに使う省略表現です。友達との会話では、「場所はどこですか」「会費はいくらですか」のような完全な文よりも、短くした「場所は？」「いくら？」のほうが自然です。

An abbreviated expression used when asking something to someone close to you. When speaking to friends, rather than using complete sentences such as 、「場所はどこですか」or「会費はいくらですか」,「場所は？」and「いくら？」are more natural.

用于特别亲近的人之间询问的省略。朋友间的会话如「場所はどこですか」「会費はいくらですか」这样的询问，缩短成「場所は？」「いくら？」更自然。

基本パターン　　N＋**は**？

1　Ⓐ あれ？　はさみ**は**？
　　Ⓑ 机の中にあるでしょ。
　　Ⓐ Are? Hasami **wa**?
　　Ⓑ Tsukue no naka ni aru desho.

Ⓐ Huh? Where are the scissors?
Ⓑ They're inside the desk, where else?

Ⓐ 唉？　剪子呢？
Ⓑ 在桌子里吧。

2　Ⓐ それで、値段**は**？
　　Ⓑ けっこう安かったよ。
　　Ⓐ Sorede, nedan **wa**?
　　Ⓑ Kekkoo yasukatta yo.

Ⓐ So, what did it cost?
Ⓑ It was pretty cheap.

Ⓐ 那么，价钱呢？
Ⓑ 比较便宜啊！

11 土曜日はどう？
Doyoobi wa doo?
(How is Saturday？／星期六怎么样？)

～はどう？   How is ～ ?／～怎么样？

Ⓐ 土曜日はどう？
Ⓑ 土曜日はちょっと…。
Ⓐ じゃ、日曜日は？
Ⓑ 日曜日ならいいよ。

Ⓐ *Doyoobi wa doo?*
Ⓑ *Doyoobi wa chotto….*
Ⓐ *Ja, nichiyoobi wa?*
Ⓑ *Nichiyoobi nara ii yo.*

Ⓐ How is Saturday?
Ⓑ Saturday's a little tough…
Ⓐ Then what about Sunday?
Ⓑ Sunday would be fine.

Ⓐ 星期六怎么样？
Ⓑ 星期六不方便。
Ⓐ 那，星期天呢？
Ⓑ 星期天可以！

▶ くだけた表現で、何かを提案したり勧めたりして相手の意向を問います。また、何かについて、情報や意見を聞いたりするときにも使います。
※丁寧な形は「（〜は）どうですか／どうでしょうか／いかがでしょうか」など

An informal expression used to ask someone about their intentions when making a proposal or suggestion. Also used to ask someone for information or their opinion.

比较随便的说法。用于提出什么建议、推荐来争求对方的意见。也用于听取关于某事的情报、意见等。

基本パターン　　N／文＋の＋**はどう**？

1 Ⓐ 最近、調子はどう？
Ⓑ まあまあかな。

Ⓐ *Saikin, chooshi wa doo?*
Ⓑ *Maamaa kana.*

Ⓐ How have you been lately?
Ⓑ Not bad, I guess.

Ⓐ 最近怎么样？
Ⓑ 还可以。

2 Ⓐ 今日のお昼、ピザを頼むのっていうのはどう？
Ⓑ いいね。そうしよう。

Ⓐ *Kyoo no ohiru, Piza o tanomu no tte iuno wa doo?*
Ⓑ *Iine. Soo shiyoo.*

Ⓐ How is ordering pizza for lunch today?
Ⓑ That sounds good. Let's do that.

Ⓐ 今天午饭要个比萨饼怎么样？
Ⓑ 好啊！

12 電話で聞いてみれ**ば**？

Denwa de kiitemire**ba**?
(How about calling them to ask?／打电话问问看！)

～ば？
How about ～ ?
～吧

Ⓐ お店、何時まで開いてるんだろう？
Ⓑ 電話で聞いてみれ**ば**？
Ⓐ うん、そうしてみる。

Ⓐ *Omise, nanji made aiteru n daroo?*
Ⓑ *Denwa de kiitemire**ba**?*
Ⓐ *Un, soo shitemiru.*

Ⓐ What time is the store open until?
Ⓑ How about calling them to ask?
Ⓐ Okay, I'll do that.

Ⓐ 那店开到几点啊？
Ⓑ 打电话问问看。
Ⓐ 嗯，好的。

▶ 親しい相手に助言や示唆をする表現です。「～たら？」よりも強く勧める言い方なので、柔らかく誘導したいときは「～たらどうですか」などのほうがいいです。

An expression used to give advice or a suggestion to someone you are close to. A stronger suggestion than「～たら？」, and it is better to use phrases such as「～たらどうですか」when wanting to more gently guide someone to a conclusion.

对关系亲密的人提出建议或暗示。比「～たら？」劝诱的语气较强，表示温柔语气时用「～たらどうですか」。

| 基本パターン | V仮定形 + **ば** |

---

1 Ⓐ 最近、パソコンの調子悪くて。
Ⓑ じゃ、新しいの買っちゃえ**ば**？
Ⓐ そうしようかな。

Ⓐ *Saikin, pasokon no chooshi warukute.*
Ⓑ *Ja, atarashii no kacchae**ba**?*
Ⓐ *Soo shiyoo kana.*

Ⓐ My computer has been acting up lately.
Ⓑ Then how about buying a new one?
Ⓐ Maybe I will.

Ⓐ 最近电脑不好用。
Ⓑ 那，买个新的吧。
Ⓐ 也好！那就买个新的吧。

---

2 Ⓐ 何か文句ある？
Ⓑ いや、別に…。
Ⓐ 言いたいことがあるなら、はっきり言え**ば**？

Ⓐ *Nani ka monku aru?*
Ⓑ *Iya, betsu ni….*
Ⓐ *Iitai koto ga aru nara, hakkiri ie**ba**?*

Ⓐ Any complaints?
Ⓑ No, not really.
Ⓐ If you want to say something, how about saying it?

Ⓐ 你有什么不满吗？
Ⓑ 没有…。
Ⓐ 有想说的，就别客气，说吧。

13 パソコンが変な**んだけど**…

Pasokon ga henna n da kedo….
(You know, my computer's been acting strange... ／电脑有点怪啊！)

「〜んだけど（〜んですけど）」 You know, 〜
出示话题，引注目

Ⓐ パソコンが変な**んだけど**…。
Ⓑ ちょっと見せて。
Ⓐ やっぱり故障かなあ。

Ⓐ *Pasokon ga henna n da kedo….*
Ⓑ *Chotto misete.*
Ⓐ *Yappari koshoo kanaa.*

Ⓐ You know, my computer's been acting strange...
Ⓑ Let me take a look.
Ⓐ I wonder if it's broken.

Ⓐ 电脑有点怪啊。
Ⓑ 让我看看。
Ⓐ 是坏了。

▶「〜んだけど」は、話題やテーマを示して相手の注意を引く表現です。

When speaking, making your sentences short and conveying information in a logical order makes them easier for others to understand and allows conversation to be smoother.「〜んだけど」is used to draw someone's attention to a topic or theme.

会话时将句子缩短，按会话顺序提供情报，这样对方也容易理解，使会话的回合顺利地进行下去。用「〜んだけど」提起话题来引起对方的注意。

> **基本パターン** ［話題やテーマ］＋〜**んだけど** ／〜**んですけど**

1 Ⓐ 5行目のね、ここな**んだけど**。
　Ⓑ どれどれ。
　Ⓐ これ間違ってない？

　Ⓐ *5-gyoo me no ne, koko na n da kedo.*
　Ⓑ *Dore dore.*
　Ⓐ *Kore machigattenai?*

　Ⓐ It's right here, you know? In the fifth line.
　Ⓑ Let me see.
　Ⓐ Isn't this wrong?

　Ⓐ 第5行的，这里啊。
　Ⓑ 哪里哪里？
　Ⓐ 这里，没错吗？

2 Ⓐ あのう、地図を探してる**んですが**…。
　Ⓑ どんな地図でしょうか。
　Ⓐ 登山のガイドマップな**んですが**…。

　Ⓐ *Anoo, chizu o sagashiteru n desu ga….*
　Ⓑ *Donna chizu deshoo ka.*
　Ⓐ *Tozan no gaidomappu na n desu ga….*

　Ⓐ Excuse me, I'm looking for a map, you know...
　Ⓑ What kind of a map?
　Ⓐ You know, one for climbing mountains...

　Ⓐ 那个，我在找地图，可是…。
　Ⓑ 什么地图？
　Ⓐ 登山指南…。

⑤ 変形型

14〜15

14 誰にも言っちゃだめだよ

Dare nimo iccha dame da yo
(You can't tell anyone ／ 不能对任何人说啊)

〜ちゃ
and 〜
以及〜

Ⓐ これは内緒の話だから、誰にも言っちゃだめだよ。
Ⓑ わかった。で、何の話？

Ⓐ Kore wa naisho no hanashi dakara, dare nimo iccha dame da yo.
Ⓑ Wakatta. De, nanno hanashi?

Ⓐ This is a secret, so you can't tell anyone.
Ⓑ Okay. So, what is it?

Ⓐ 这是秘密，不能对任何人说啊。
Ⓑ 知道了。什么话？

▶「〜ちゃ」は、会話の中で「〜ては」が変化した形です（同様に「〜じゃ」←「〜では」）。また、「〜なくてはいけない」→「〜なくちゃ（いけない）」、「〜てしまう」→「〜ちゃう」などのパターンもあります。

「〜ちゃ」is a changed form of「〜ては」used in conversation (Similarly,「〜じゃ」←「〜では」). Also,「〜なくてはいけない」→「〜なくちゃ（いけない）」、「〜てしまう」→「〜ちゃう」and other such patterns exist.

在会话中是从「〜ては」转变来的（与此相同「〜じゃ」←「〜では」）。相似的还有「〜なくてはいけない」→「〜なくちゃ（いけない）」、「〜てしまう」→「〜ちゃう」。

基本パターン	〜~~ては~~ちゃ / 〜なく~~ては~~ちゃ ＋ だめ／いけない

---

1 Ⓐ 今日って水曜だっけ？
Ⓑ うん。…あっ、忘れてた！　歯医者に行かなくちゃ！

Ⓐ Kyoo tte suiyoo dakke?
Ⓑ Un. …Att, wasureteta! Haisha ni ikanakucha!

Ⓐ Was today Wednesday?
Ⓑ Yes. …Oh, I forgot! I have to go to the dentist!

Ⓐ 今天是星期三？
Ⓑ 嗯。啊，忘了！　今天得去看牙！

---

2 Ⓐ 田中さんは？
Ⓑ ああ…、田中さんなら、ついさっき帰っちゃいました。

Ⓐ Tanaka-san wa?
Ⓑ Aa…, Tanaka-san nara, tsui sakki, kaecchaimashita.

Ⓐ Where's Tanaka-san?
Ⓑ Oh… If you're looking for Tanaka-san, he just left.

Ⓐ 田中呢？
Ⓑ 啊…，田中刚回去。

15 ちょっとわか**ん**ないです

*Chotto waka**n**nai desu*
(I don't know ／不太清楚)

「ら行の音→ん」の変化　　[ra,ri,ru,re,ro] → [n]

Ⓐ すみません、この辺にポストってないですか。
Ⓑ ポスト？　さあ…ちょっとわか**ん**ないです。
Ⓐ そうですか。どうも。

Ⓐ Excuse me, is there a mailbox around here?
Ⓑ A mailbox? I don't know...
Ⓐ I see. Thank you anyway.

Ⓐ 请问，这附近有投信箱吗？
Ⓑ 邮箱？　嗯…不太清楚。
Ⓐ 是吗！不好意思。

Ⓐ *Sumimasen, kono hen ni posuto tte nai desu ka.*
Ⓑ *Posuto? Saa…chotto waka**n**nai desu.*
Ⓐ *Soo desu ka. Doomo.*

▶ ら行（主に"ら"）の音やそれを含む音は、会話のときに「ん」になることがあります。⇒ p.52

Sounds in the ら column, as well as sounds that include them, often become「ん」in speech.
ら行（主要是"ら"）及包含"ら"在内的读音，在会话时有时读作「ん」。

基本パターン　[ら行の音] → **ん** （特に「～らない」→「～**ん**ない」）

---

1 Ⓐ この国際フェアって、どんなところ？
　Ⓑ いろ**ん**な国の料理が食べられるんだって。
　Ⓐ へえ、楽しそう。

Ⓐ *Kono kokusai fea tte, donna tokoro?*
Ⓑ *Iro**n**na kuni no ryoori ga taberareru n datte.*
Ⓐ *Hee, tanoshisoo.*

Ⓐ What's this international fair like?
Ⓑ You can apparently eat food from lots of different countries.
Ⓐ Huh, sounds fun.

Ⓐ 这个国际博览会都有什么？
Ⓑ 听说能吃到世界很多国家的料理。
Ⓐ 是吗，好像挺有意思。

---

2 Ⓐ 忙しそうだね。
　Ⓑ うん。この仕事、明日までにや**ん**ないとだめなんだ。

Ⓐ *Isogashisoo da ne.*
Ⓑ *Un. Kono shigoto, ashita made ni ya**n**nai to dame nan da.*

Ⓐ You seem busy.
Ⓑ Yes. I have to do this job by tomorrow.

Ⓐ 好像挺忙啊。
Ⓑ 嗯。这个工作必须到明天得做完啊！

⑥ こそあど　16〜23

16　例の**あれ**、うまくいってる？
Ree no **are**, umaku itteru?
(Is that thing going well？／那个，进展顺利？)

| あれ | That 那个 |

Ⓐ 例の**あれ**、うまくいってる？
Ⓑ 新商品の開発ですね。
Ⓐ うん。
Ⓑ 順調に進んでいます。

Ⓐ Ree no **are**, umaku itteru?
Ⓑ Shin-shoohin no kaihatsu desu ne.
Ⓐ Un.
Ⓑ Junchoo ni susundeimasu.

Ⓐ Is that thing going well?
Ⓑ Are you talking about the development of our new product?
Ⓐ Yes.
Ⓑ It's proceeding well.

Ⓐ 那个，进展顺利？
Ⓑ 新商品开发吧。
Ⓐ 嗯。
Ⓑ 进展顺利。

意味・使う場面
話し手と聞き手が共に知っている物事を指します。自明のため具体的に言うのを省いた場合と、具体的な名前や表現がすぐに出なかった場合に使います。

Used to indicate something that both the speaker and listener knows about. Used both because both parties knows what is being referred to, and because the name of the thing spoken about does not come to mind immediately.

指说话人和听话人都知道的事。因为都知道所以不具体说、马上想不出具体的名字或不知怎么表达时使用。

基本パターン　（話し手も聞き手も知っていることを指して）**あれ**

会話練習　　　　　　　　　　　　　　　PART1 ● 形でとらえる基本表現

1 Ⓐ **あれ**、何ていうんだっけ？
　Ⓑ え？
　Ⓐ ほら、この前、一緒に行ったとこ。
　Ⓑ ああ、マリンパークでしょ。

Ⓐ *Are*, nan te iu n dakke
Ⓑ *E?*
Ⓐ *Hora, konomae, issho ni itta toko.*
Ⓑ *Aa, Marinpaaku desho.*

Ⓐ What was that place called again?
Ⓑ Huh?
Ⓐ You know, the place we went together.
Ⓑ Oh, you mean the marine park.

Ⓐ 那个，叫什么来着？
Ⓑ 唉？
Ⓐ 就那个，上次一起去的。
Ⓑ 啊！海兵公园吧。

2 Ⓐ **あれ**、どうした？
　Ⓑ **あれ**って？
　Ⓐ **あれ**だよ、ほら、来月の…チケット。
　Ⓑ ああ、サッカーのチケットでしょ？ 買ったよ。

Ⓐ *Are*, dooshita?
Ⓑ *Are* tte?
Ⓐ *Are*dayo, hora, raigetsu no…chiketto.
Ⓑ *Aa, sakkaa no chiketto desho? Katta yo.*

Ⓐ What happened to that thing?
Ⓑ That thing?
Ⓐ You know, that thing. Next month's...tickets.
Ⓑ Oh, you mean the soccer tickets? I bought them.

Ⓐ 那个，怎么样了？
Ⓑ 那个是什么呀？
Ⓐ 就那个，下个月的…票。
Ⓑ 啊！足球票吧，买好了！

3 Ⓐ 田中さん、昨日、かわいそうだったね。
　Ⓑ うん。部長、全部彼のせいにしてたからね。
　Ⓐ **あれ**はないと思う。

Ⓐ *Tanaka-san, kinoo, kawaisoo datta ne.*
Ⓑ *Un. Buchoo, zenbu kare no seeni shiteta kara ne.*
Ⓐ *Are wa nai to omou.*

Ⓐ I felt bad for Tanaka-san yesterday.
Ⓑ Yeah. The department chief was blaming everything on him.
Ⓐ I don't think that's right.

Ⓐ 田中，昨天太可怜了。
Ⓑ 嗯！部长把责任都推他身上了。
Ⓐ 那个，我不那么认为。

37

17 これは困ったな

Kore wa komatta na
(This is bad ／那可麻烦了！)

これ　　　　　　　　this
　　　　　　　　　　这

Ⓐ あれー？　部品が1つ足りない。
Ⓑ ほんとですか。
Ⓐ うーん…**これ**は困ったな。

Ⓐ Aree? Buhin ga hitotsu tarinai.
Ⓑ Honto desu ka.
Ⓐ Uun…**kore** wa komatta na.

Ⓐ Huh? We're missing one part.
Ⓑ Really?
Ⓐ Hmm... This is bad.

Ⓐ 唉？ 零件少了一个。
Ⓑ 是吗？
Ⓐ 嗯！ 那可麻烦了。

意味・使う場面

「これ」は、具体的な物だけでなく、目の前の、あるいは自分が今置かれている状況や事態にも使います。

"This" is not only used to refer to physical things, but also to situations that one sees or is in.

不是表示具体东西，而是眼前的或自己现在所处的状况、事态。

基本パターン　（今の事態・状況を指して）**これ**

会話練習　　　　　　　　　　　　　　　　PART1 ● 形でとらえる基本表現

1 Ⓐ あれ？　ここ、字が違ってますよ。
　Ⓑ **これ**は＊いかん。お恥ずかしい。

　Ⓐ *Are? Koko, ji ga chigatte masu yo.*
　Ⓑ ***Kore*** *wa ikan. Ohazukashii.*

Ⓐ Hm? This character is wrong.
Ⓑ This is no good. How embarrassing.

Ⓐ 唉？　这儿，字写错了！
Ⓑ 啊！　真的，不好意思。

---

2 Ⓐ 日本が同点に追いついたって！
　Ⓑ ほんと⁉　わかんなくなったな、**これ**は！
　Ⓐ うん。勝てるかもしれない。

　Ⓐ *Nihon ga dooten ni oitsuita tte!*
　Ⓑ *Honto!? Wakannaku natta na,* ***kore*** *wa!*
　Ⓐ *Un. Kateru kamo shirenai.*

Ⓐ Japan tied the game!
Ⓑ Really? Now I don't know how this is going to turn out!
Ⓐ Yeah. We might win now.

Ⓐ 听说日本追上来了，现在打平了！
Ⓑ 真的？　输赢难断啊！这回！
Ⓐ 是啊！　也许会赢。

---

3 Ⓐ〈ニュースを見て〉このお祭りはいつもすごい人だね
　Ⓑ うん。見るのも大変だね、**これ**。

　Ⓐ *<Nyuusu o mite> Kono omatsuri wa itsumo sugoi hito dane.*
　Ⓑ *Un. Mirunomo taihen dane,* ***kore****.*

Ⓐ (Watching the news) That festival always has such a big turnout.
Ⓑ Yeah. Just watching this must be tough.

Ⓐ（看新闻）这个祭会总是人很多啊！
Ⓑ 是啊！　看热闹也不容易啊！

> **MEMO**　※「いかん」＝いけない。よくない。だめだ。

39

18 えっ、何、それ？

Ett, nani, sore?
(What? How does that work?／唉？什么？还有那样的事！)

それ　　　　that
　　　　　　那个

Ⓐ 昨日のアルバイト、1時間延びたけど、お金変わらなかった。
Ⓑ えっ、何、それ？
Ⓐ ひどいよね。まあ、楽だったからいいんだけど。

Ⓐ *Kinoo no arubaito, 1-jikan nobita kedo, okane kawaranakatta.*
Ⓑ *Ett, nani, sore?*
Ⓐ *Hidoi yone. Maa, raku datta kara ii n da kedo.*

Ⓐ My job yesterday went an hour longer, but I didn't get paid any more.
Ⓑ What? How does that work?
Ⓐ Isn't it awful? Well, I did have fun, so I won't complain.

Ⓐ 昨天的打工，延长了一个小时，可是钱不变。
Ⓑ 唉？什么？还有那样的事！
Ⓐ 有点儿不像话。不过，挺开心的，不给钱也行啊。

意味・使う場面

相手の発言を受けて、相手の言ったことを指す言葉です。「それ」を使った慣用的な表現も多いです。
例：「それはそうだけど」＝相手の発言に一定の理解を示す表現
「それもそうだ」＝相手の発言に納得する表現
「それはそうと」＝ところで（話題を変える）
「それはそれとして」＝さて（次の話題に移る）

Used to indicate something that has just been said after you understand its meaning. There are also many common phrases that use 「それ」.

用来指对方说的话。用「それ」的惯用形也很多。

基本パターン　（相手が話した内容を指して）**それ**

会話練習　　　　　　　　　　　　　　PART1 ● 形でとらえる基本表現

1 Ⓐ お金がないと買えないなあ。
　Ⓑ **それ**はそうだけど。でも…。
　Ⓐ でも、何？

　Ⓐ I can't buy it without any money.
　Ⓑ That's true, but...
　Ⓐ But what?

　Ⓐ 没钱买不了啊。
　Ⓑ 的确是，可是…。
　Ⓐ 何？　可是什么？

　Ⓐ Okane ga nai to kaenai naa.
　Ⓑ **Sore** wa sooda kedo. Demo….
　Ⓐ Demo, nani?

2 Ⓐ この前雑誌に載ってたレストラン、おいしかった？
　Ⓑ **それ**がさあ…。
　Ⓐ どうかしたの？
　Ⓑ 行ってみたら、別の店になってた。

　Ⓐ How was the restaurant that was in the magazine the other day?
　Ⓑ About that...
　Ⓐ Was something the matter?
　Ⓑ It was a different store when I want.

　Ⓐ 这次杂志上登的那个餐馆好吃吗？
　Ⓑ 那个啊…。
　Ⓐ 怎么了？
　Ⓑ 去了，可是已经改别的店了。

　Ⓐ Konomae zasshi ni notteta resutoran, oishikatta?
　Ⓑ **Sore** ga saa….
　Ⓐ Dooka shitano?
　Ⓑ Ittemitara, betsu no mise ni natteta.

3 Ⓐ 山下さんが入院したんですって。
　Ⓑ えっ、**それ**本当？
　Ⓐ うん、昨日の夜。

　Ⓐ I heard that Yamashita-san was hospitalized.
　Ⓑ What? Is that true?
　Ⓐ Yes, it happened just last night.

　Ⓐ 听说山下住院了。
　Ⓑ 唉？　那是真的？
　Ⓐ 嗯，昨天夜里。

　Ⓐ Yamashita-san ga nyuuinshita n desu tte.
　Ⓑ Ett, **sore** hontoo?
　Ⓐ Un, kinoo no yoru.

41

19 うん、そこだよね

Un, **Soko** dayo ne
(Yes, that's right ／是，重点在那！)

そこ	that 那

Ⓐ たくさん練習すればいいってもん
   じゃないからね。
Ⓑ うん、**そこ**だよね。
Ⓐ 練習の中身をもっと考えないとね。

Ⓐ Takusan renshuu sureba ii tte mon ja nai kara ne.
Ⓑ Un. **Soko** dayo ne
Ⓐ Renshuu no nakami o motto kangae naito ne.

Ⓐ It's not all how much you practice, right?
Ⓑ Yes, that's right.
Ⓐ You need to think about how you practice, too.

Ⓐ 不是努力练习就行的啊。
Ⓑ 是，重点在那。
Ⓐ 不好好研究练习的内容不行啊。

意味・使う場面

相手の発言や、自分が前に言ったことの中の大切な点を示します。相手が大切なことを言ったときに「そこが大事ですね」などと相づちを打つと、話の内容を深めやすくなります。「それ」は相手の発言内容、「そこ」は重要な点を指します。

Used to indicate the important part of what someone has just said or what you have just said. When talking about what someone else has said, responding with そこが大事ですね makes it easier to advance a conversation. 「それ」 indicates what someone has just said, and 「そこ」 indicates the important point.

表示对方说的或自己以前说的话中的重要部分。对方说到重点时迎合说「そこが大事ですね」，这样可以加深说话内容。「それ」指对方说的内容，「そこ」指重点。

基本パターン　（前の発言の大切な点を受けて）**そこ**

会話練習　　　　　　　　　　　　　　　　　PART1 ● 形でとらえる基本表現

1 Ⓐ 大切なのは、その会社が有名かどうかじゃなくて。
Ⓑ 自分のしたいことができる会社を選ぶこと、ですね。
Ⓐ そう。**そこ**が就職活動のポイントだな。

Ⓐ What's important isn't whether the company is important or not.
Ⓑ It's about choosing a company where you can do what you want to do, right?
Ⓐ Yes. That's the way to hunt for jobs.

Ⓐ 重要的不是那个公司有名没名。
Ⓑ 重要的是选择能做自己想做的事的公司。
Ⓐ 对啊！ 这就是找工作的重点。

Ⓐ *Taisetsu nano wa, sono kaisha ga yuumee ka dooka ja nakute.*
Ⓑ *Jibun no shitai koto ga dekiru kaisha o erabu koto desu ne?*
Ⓐ *Soo. **Soko** ga shuushoku-katsudoo no pointo dana.*

---

2 Ⓐ あいつはもう、来なくていいよ。
Ⓑ **そこ**まで言わなくてもいいじゃない。

Ⓐ He doesn't need to ever come back.
Ⓑ That's going a little far, don't you think?

Ⓐ 那家伙别让他来了！
Ⓑ 别那么说啊！

Ⓐ *Aitsu wa moo, konakute iiyo.*
Ⓑ ***Soko**made iwanakute mo ii ja nai.*

---

3 Ⓐ 今回だけですので。
Ⓑ 申し訳ありません、規則ですので。
Ⓐ **そこ**を何とか！
Ⓑ そう言われましても…。

Ⓐ It's just this one time.
Ⓑ I'm sorry, it's a rule.
Ⓐ Please, can't you do something about that?
Ⓑ You say that, but...

Ⓐ 就这次。
Ⓑ 实在抱歉啊！ 这是规定。
Ⓐ 求求你了！
Ⓑ 怎么说也不行啊…。

Ⓐ *Konkai dake desu node.*
Ⓑ *Mooshiwake arimasen, kisoku desu node.*
Ⓐ ***Soko** o nantoka!*
Ⓑ *Soo iwaremashite mo....*

20 そんなの変だと思います

Sonnano hen da to omoimasu
(I think that's strange.／我觉得那样有点不正常)

| そんなの | that 那样 |

Ⓐ どうしていつも男子が先なんですか。
Ⓑ いや、特に理由はないけど、ずっとそうしてるから…。
Ⓐ **そんなの**変だと思います。

Ⓐ *Dooshite itsumo danshi ga sakina n desu ka.*
Ⓑ *Iya, tokuni riyuu wa nai kedo, zutto sooshiteru kara....*
Ⓐ ***Sonnano*** *hen da to omoimasu.*

Ⓐ Why do the boys always go first?
Ⓑ No particular reason, but that's how it's always been...
Ⓐ I think that's strange.

Ⓐ 为什么总是男生优先？
Ⓑ 没有什么特别的理由，只是一直就是这样的…。
Ⓐ 我觉得那样有点不正常。

意味・使う場面

「そんなの（は）〜だ」は、相手の言ったことに対して不平や不満を感じていることを表します。「それは〜だ」も意味はだいたい同じですが、「そんなの」を使うことで、非難する気持ちをはっきりと表します。

「そんなの（は）〜だ」 is used to show that you feel what someone is saying is unfair or dissatisfying. 「それは〜だ」 means roughly the same thing, but using 「そんなの」 clearly displays an intention to criticize.

表示对对方说的事情抱有不平或不满。与「それは〜だ」意思相似，「そんなの」更能明确地表达谴责的语气。

基本パターン

そんなの（は）＋［文（不平・不満・非難など）］

会話練習

PART1 ● 形でとらえる基本表現

1 Ⓐ 明日の会議は何か用意するもの、あるのかなあ。

Ⓑ 会議？ **そんなの**、いつ決まった？

Ⓐ え？ 昨日、部長からメールがあったよ。

Ⓑ うそ！ 見てない。

Ⓐ *Ashita no kaigi wa nanika yooi-suru mono, aru no kanaa.*
Ⓑ *Kaigi?* ***Sonnano****, itsu kimatta?*
Ⓐ *E? Kinoo, buchoo kara meeru ga atta yo.*
Ⓑ *Uso! Mitenai.*

Ⓐ Was there something we need to prepare for tomorrow's meeting?
Ⓑ There's a meeting? When was that decided?
Ⓐ What? There was an email from the department chief yesterday.
Ⓑ No way! I never saw it.

Ⓐ 明天的会议有什么要准备的吗？
Ⓑ 会议？ 那是什么时候定的？
Ⓐ 唉？ 昨天经理发伊妹儿通知的。
Ⓑ 糟了！ 还没看呢！

---

2 Ⓐ なんだ、このいい加減なレポートは！

Ⓑ すみません。時間がなかったものですから…。

Ⓐ **そんなの**理由にならないだろ！

Ⓐ *Nanda, kono iikagenna repooto wa!*
Ⓑ *Sumimasen. Jikan ga nakatta mono desu kara....*
Ⓐ ***Sonnano*** *riyuu ni naranai daro!*

Ⓐ What is this half-baked report?!
Ⓑ I'm sorry, there wasn't any time...
Ⓐ That's no reason for it to turn out like this!

Ⓐ 什么呀！ 这种敷衍了事的报告！
Ⓑ 对不起。因为没时间…。
Ⓐ 那不是理由啊！

---

3 Ⓐ むこうのチームは元プロの人が二人もいるんだって。

Ⓑ えーっ、**そんなの**、あり!?

Ⓐ まあ、相当強いだろうな。

Ⓑ まいったね。

Ⓐ *Mukoo no chiimu wa moto puro no hito ga futari mo iru n datte.*
Ⓑ *Ee,* ***sonnano****, ari!?*
Ⓐ *Maa, sootoo tsuyoi daroo na.*
Ⓑ *Maitta ne.*

Ⓐ The other team has two former professionals on it.
Ⓑ What? Is that even allowed?!
Ⓐ Well, they must be pretty strong.
Ⓑ Now what're we going to do?

Ⓐ 听说对方队员有两个以前是职业队员！
Ⓑ 唉－真的？
Ⓐ 是啊，看来相当厉害啊。
Ⓑ 难对付啊！

45

21 どうだろう
Doo daroo
(I wonder about that／谁知道呢)

| どう | how 谁知道呢 |

Ⓐ その本はまだ売られているんですか。
Ⓑ **どう**だろう。20年も前に出た本だからね。
Ⓐ じゃ、調べてみます。

Ⓐ Sono hon wa mada urareteiru n desu ka.
Ⓑ **Doo** daroo. 20-nen mo mae ni deta hon dakara ne.
Ⓐ Ja, shirabete mimasu.

Ⓐ Is that book still selling?
Ⓑ I wonder about that. It came out all of twenty years ago.
Ⓐ I'll look into it.

Ⓐ 那本书现在还在卖吗？
Ⓑ 谁知道呢，是20年前出的书啊。
Ⓐ 那，我查查看。

意味・使う場面

「どう」は後ろに「かな（あ）」や「だろう」などを付けると、疑問や不安を表します。また、「かと思う」を付けて、否定的な意見を述べます。

By adding 「かな（あ）」or「だろう」after「どう」, doubt or uncertainty is expressed. Also, a negative opinion can be given by adding「かと思う」.

「どう」后接「かな（あ）」、「だろう」等表示抱有疑问或不安。后接「かと思う」时表示否定的语气。

基本パターン

どう ＋かな（あ）／かと思う／だろう など

会話練習

PART1 ● 形でとらえる基本表現

1. Ⓐ 大学をやめてどうするつもり？
   Ⓑ 世界を旅して、いろいろなものを見て、感じたいと思っています。
   Ⓐ うーん、気持ちはわかるけど、**どう**かなあ。よく考えて決めたほうがいいよ。

   Ⓐ *Daigaku o yamete doosuru tsumori?*
   Ⓑ *Sekai o tabishite, iroiro na mono o mite, kanjitai to omotteimasu.*
   Ⓐ *Uun, kimochi wa wakaru kedo, **doo**kanaa. Yoku kangaete kimeta hoo ga ii yo.*

   Ⓐ What are your plans after quitting university?
   Ⓑ I'm going to travel the world, and see and feel lots of things.
   Ⓐ Well, I understand how you feel, but I don't know about that. You ought to give it a lot of thought before making a decision.

   Ⓐ 不念大学了打算干什么？
   Ⓑ 周游世界，开阔眼界，感受世界。
   Ⓐ 嗯一，能理解你，可是还是好好想想再决定为好。

2. Ⓐ お父さん、パジャマのまま外、出るの？
   Ⓑ ちょっとゴミを出しに行くだけ。
   Ⓐ でも、エレベーターで誰に会うかわからないじゃない。**どう**かと思うよ。
   Ⓑ こんな時間だから、誰もいないよ。

   Ⓐ *Otoosan, pajama no mama soto, deru no?*
   Ⓑ *Chotto gomi o dashi ni iku dake.*
   Ⓐ *Demo, erebeetaa de dare ni au ka wakaranai ja nai. **Doo**ka to omou yo.*
   Ⓑ *Konna jikan dakara, dare mo inai yo.*

   Ⓐ Father, are you going to go out in your pajamas?
   Ⓑ I'm just going to throw out the garbage.
   Ⓐ But you might run into someone in the elevator. I don't think that's okay.
   Ⓑ There won't be anyone at this hour.

   Ⓐ 爸！你穿着睡衣就出去啊？
   Ⓑ 只是去扔一下垃圾。
   Ⓐ 可是，电梯里不知会遇见谁啊！太难堪了吧。
   Ⓑ 这个时间没人的。

3. Ⓐ 足、けがしたんだって？
   Ⓑ ああ、**どう**ってことないよ。
   Ⓐ ほんとに？ 病院行かなくていいの？
   Ⓑ 大丈夫、大丈夫。

   Ⓐ *Ashi, kegashita n datte?*
   Ⓑ *Aa, **doo** tte koto nai yo.*
   Ⓐ *Hontoni? Byooin ikanakute ii no?*
   Ⓑ *Daijoobu, daijoobu.*

   Ⓐ I heard you hurt your leg?
   Ⓑ Oh, that's nothing.
   Ⓐ Really? Do you not have to go to the hospital?
   B It's fine, it's fine.

   Ⓐ 听说你腿受伤了？
   Ⓑ 啊，没大事。
   Ⓐ 真的？ 不用去医院吗？
   Ⓑ 不要紧！ 不要紧！

22 どうやって資金を集めるつもり？

Dooyatte shikin o atsumeru tsumori?
(How are you going to gather the money for that?／可是打算怎么集资？)

| どうやって | how
怎么 |

Ⓐ 会社を作るって!?
Ⓑ ええ。そうなんです。
Ⓐ でも、**どうやって**資金を集めるつもり？

Ⓐ Kaisha o tsukuru tte!?
Ⓑ Ee. Soonandesu.
Ⓐ Demo, **dooyatte** shikin o atsumeru tsumori?

Ⓐ You're going to make a company?!
Ⓑ Yes, I am.
Ⓐ But how are you going to gather the money for that?

Ⓐ 听说你要自己建公司？
Ⓑ 嗯。是啊。
Ⓐ 可是打算怎么集资？

意味・使う場面

「どうやって」は、単純に方法を尋ねる用法と、本当にできるのか疑いのニュアンスを含む用法があります。後者の場合、「方法がわからない」「そんなことはできるはずがない」など、不満や非難の気持ちを表す例もあります。

「どうやって」 is both a way to simply ask a question and also a way to insinuate that you are doubtful whether something can actually be done. For the latter case, there are examples of expressing your displeasure or criticism such as 「方法がわからない」 and 「そんなことはできるはずがない」.

「どうやって」用于单纯的询问方法和含有真的能行吗的疑问口气。后者也有「方法がわからない」「そんなことはできるはずがない」等不满及谴责的语气。

基本パターン

どうやって + { V（疑問）
　　　　　　　　も ＋ Vない }

会話練習　　　　　　　　　　　　　　PART1 ● 形でとらえる基本表現

1
Ⓐ 折り紙の鶴、知ってるでしょ？
Ⓑ もちろん。
Ⓐ 最初どうやって折るんだっけ？

Ⓐ Origami no tsuru, shitteru desho?
Ⓑ Mochiron.
Ⓐ Saisho **dooyatte** oru n dakke?

Ⓐ You know how to make an origami crane, right?
Ⓑ Of course.
Ⓐ How do you fold it in the beginning, again?

Ⓐ 你知道怎么叠纸鹤吗？
Ⓑ 当然知道。
Ⓐ 开始怎么叠来着？

2
Ⓐ だめだ。どうやっても、うまくいかない。
Ⓑ 何が？
Ⓐ ネットにつながらないんだよ。

Ⓐ Dameda. **Dooyatte**mo, umaku ikanai
Ⓑ Nani ga?
Ⓐ Netto ni tsunagaranai n da yo.

Ⓐ It's no good. However I do it, it doesn't work.
Ⓑ What are you talking about?
Ⓐ I can't get online.

Ⓐ 不行啊！怎么整也不行啊！
Ⓑ 什么啊？
Ⓐ 连不上网啊！

3
Ⓐ 仕事やめたんだって？
Ⓑ うん。
Ⓐ これから、どうやって暮らしていくのよ。
Ⓑ まあ、何とかやるよ。

Ⓐ Shigoto yameta n datte?
Ⓑ Un.
Ⓐ Korekara, **dooyatte** kurashiteiku no yo.
Ⓑ Maa, nantoka yaru yo.

Ⓐ I heard you quit your job?
Ⓑ Yes.
Ⓐ How are you going to get by from now on?
Ⓑ Well, I'll find a way.

Ⓐ 听说你要辞掉工作？
Ⓑ 嗯。
Ⓐ 今后怎么生活啊？
Ⓑ 啊，总会有办法的。

23 どうも風邪ひいたみたいで
Doomo kaze hiita mitai de
(I seem to have managed to catch a cold ／好像是感冒了)

どうも／どうやら seem 好像

Ⓐ 顔色がよくないね。
Ⓑ うん…。**どうも**風邪ひいたみたいで。
Ⓐ じゃ、今日はもう早く帰ったほうがいいよ。

Ⓐ Kao iro ga yokunai ne.
Ⓑ Un…. **Doomo** kaze hiita mitai de.
Ⓐ Ja, kyoo wa moo hayaku kaetta hoo ga ii yo.

Ⓐ You don't look well.
Ⓑ Yeah... I seem to have managed to catch a cold.
Ⓐ In that case, you should go home early today.

Ⓐ 你脸色不好啊!
Ⓑ 嗯…。好像是感冒了。
Ⓐ 那，今天还是早点回去吧

意味・使う場面
はっきりしないことやほとんど情報がないことについて推測するときの表現です。文頭の「どうも」と文末の「みたい」「らしい」をセットで使うことが多いです。「どうやら」は、「どうも」より多少情報がある場合に使われます。

An expression used when making a guess about something that isn't certain or something you have little information about. The 「どうも」that begins a sentence is often used together with 「みたい」「らしい」at the end of a sentence. 「どうやら」is used when you have somewhat more information than 「どうも」.

用于对不明确的事或没有确切情报的事情的推测。句首的「どうも」，与句末的「みたい」『らしい」配套使用较多。「どうやら」比「どうも」多少有情报依据。

基本パターン **どうも／どうやら** ＋［文など］＋ みたい／らしい

会話練習

PART1 ● 形でとらえる基本表現

1. Ⓐ お子さんの＊具合いかがですか。
   Ⓑ <u>どうやら</u>来週あたり退院できそうです。
   Ⓐ それはよかった。

   Ⓐ Okosan no guai ikaga desu ka.
   Ⓑ <u>Dooyara</u> raishuu atari taiin deki soo desu.
   Ⓐ Sore wa yokatta.

   Ⓐ How is your child doing?
   Ⓑ It seems that she'll be able to leave the hospital next week.
   Ⓐ That's good to hear.

   Ⓐ 您孩子的情况怎么样了？
   Ⓑ 好像下周能出院了。
   Ⓐ 那太好了！

2. Ⓐ さっきの店員、熱心だったね。
   Ⓑ うん。熱心というか、しつこいというか。
   Ⓐ ちょっとね。
   Ⓑ ああいうタイプは<u>どうも</u>信用できないんだよね。

   Ⓐ Sakki no tenin, nesshin datta ne.
   Ⓑ Un. Nesshin to iuka, shitsukoi to iuka.
   Ⓐ Chotto ne.
   Ⓑ Aaiu taipu wa <u>doomo</u> shinyoo dekinai n da yo ne.

   Ⓐ That employee just now was so zealous.
   Ⓑ Yes. Or maybe more persistent than zealous.
   Ⓐ Yes, a little bit.
   Ⓑ It seems hard to trust people like that.

   Ⓐ 刚才的店员很热心啊。
   Ⓑ 嗯。不知道是热心还是缠人。
   Ⓐ 有点儿啊。
   Ⓑ 那样的人总是有点信不过啊。

3. Ⓐ <u>どうやら</u>彼が壊しちゃったみたい。
   Ⓑ ほんとに？ なんでわかるの？
   Ⓐ 最近、ほかに誰もあの部屋に入ってないんだって。

   Ⓐ <u>Dooyara</u> kare ga kowashichatta mitai.
   Ⓑ Hontoni? Nande wakaru no?
   Ⓐ Saikin, hokani dare mo ano heya ni haittenai n datte.

   Ⓐ It seems that he broke it.
   Ⓑ Really? How do you know that?
   Ⓐ Apparently, no one else has been in that room recently.

   Ⓐ 好像是他弄坏的。
   Ⓑ 真的？ 怎么知道的？
   Ⓐ 听说最近别人谁也没进那个房间。

MEMO

1 この「具合」は健康状態・体調の意味。⇒「具合」参照。

コラム 「ら行の音→ん」の例

Examples of "ra" column sounds turning into "n."
「ら行の音→ん／ら行音→ん」的例句

「ない」の前に来る「ら行」の音は、会話のときに「ん」の形になることがあります。
"Ra" column sounds that come before "nai" sometimes become "n" sounds in conversation.
出现在「ない」前的「ら行」的音在会话中有时也读作「ん」。

① まだ帰んないの？
Mada kaennai no?

You're still not going home?

还不回去？

② なかなか風邪が治んないね。
Nakanaka kaze ga naonnai ne.

My cold isn't getting any better.

感冒老是不好。

③ そんなに怒んないでよ。
Sonnani Okonnai de yo.

Don't get so mad

别那么生气啊！

④ ここ、携帯の電波が入んない。
Koko, Keetai no denpa ga hainnai.

Cell phones don't get service in here.

这里收不到手机信号。

⑤ ちゃんと彼女に謝んないとだめだよ。
Chanto kanojo ni ayamannai to dame da yo.

You need to give a proper apology to your girlfriend.

必须得向她道歉啊！

⑥ グラスが１つ足んない。
Gurasu ga hitotsu tannnai.

We're a glass short.

少一个杯子。

⑦ 田中さんのケータイ、まだつながんない？
Tanaka san no keetai, mada tsunagannai?

Can you still not contact Tanaka-san through his phone?

田中的手机还打不通？

⑧ 絶対誰にもしゃべんないでよ。
Zettai dare ni mo shabennai de yo

You can't tell anyone about this, okay?.

千万别对别人说啊！

PART2
目的別でとらえる
もくてきべつ
基本表現
きほんひょうげん

PART2
Basic Expressions by Purpose

第 2 部分
目的分类的基本表现

A 話を続ける・はなしつづける・やめる ① 調子を合わせる・反応する 24〜29

24 確かにそうかもしれません
Tashikani soo kamo shiremasen
((It may be true ／好像的确是))

確かに You're right./It may be true.
的确是啊

- ⓐ 景気は少しずつ回復してるようですね。
- ⓑ **確かに**そうかもしれません。
- ⓐ まあ、いつどうなるかはわかりませんけどね。

- ⓐ It seems the economy is recovering little by little.
- ⓑ It may be true.
- ⓐ Well, we don't know when it would change though.

- ⓐ 景气好像渐渐恢复过来了。
- ⓑ 好像的确是。
- ⓐ 唉！谁也不知道什么时候又有什么变化啊！

- ⓐ Keeki wa sukoshi zutsu kaifuku shiteru yoo desu ne.
- ⓑ **Tashikani** soo kamo shiremasen.
- ⓐ Maa, itsu doo narukawa wakarimasen kedo ne.

意味・使う場面
相手の意見に賛成し、調子を合わせるときに使います。「そうですね」だけより「確かに」をつけたほうが相手の考えを認めたことをはっきりさせます。「確かに」だけでも使いますが、あとに「そうです」「そう思います」などを加える場合もあります。

It is used to make yourself agreeable to somebody's opinion. Adding 「tashikani」 makes it clearer that you agreed the opinion than saying only 「soo desu ne」. 「tashikani」 can be used by itself. It is sometimes used with 「soo desu」 or 「soo omoimasu」.

用于表示赞同对方的意见，迎合对方。跟只用「そうですね」比，加上「確かに」会更能表示赞成对方的想法。可以只用「確かに」，也可以在之后加上「そうです」「そう思います」。

基本パターン （相手の発言を受けて）＋ **確かに** ＋［A／V／文など］

会話練習

PART2 ●目的別でとらえる基本表現

1
- Ⓐ 彼、このごろ元気がないね。
- Ⓑ **確かに**そうだね。あまりしゃべらないし。
- Ⓐ 今度ちょっと話してみようか。
- Ⓑ そうだね。

- Ⓐ Kare, konogoro genki ga nai ne.
- Ⓑ *Tashikani* soo dane. Amari shaberanai shi,
- Ⓐ Kondo chotto hanashite miyooka.
- Ⓑ Soo dane.

- Ⓐ He doesn't look well recently.
- Ⓑ Yeah, you are right. He doesn't talk much.
- Ⓐ Shall we talk to him next time?
- Ⓑ Good idea.

- Ⓐ 他最近好像没精神呀!
- Ⓑ 的确是啊!也不太说话
- Ⓐ 找个时间跟他沟通一下吧。
- Ⓑ 好吧。

2
- Ⓐ ここの味、ちょっと落ちたんじゃない？
- Ⓑ **確かに**。料理人が代わったのかなあ。
- Ⓐ そうかも。

- Ⓐ Koko no aji, chotto ochita n ja nai?
- Ⓑ *Tashikani*. Ryoorinin ga kawatta nokanaa.
- Ⓐ Soo kamo.

- Ⓐ Don't you think they lost their flavor here?
- Ⓑ You are right. I wonder if they changed the chef.
- Ⓐ Maybe that's true.

- Ⓐ 这里的菜的味道好像没以前好了，是不?
- Ⓑ 的确是啊!厨师换了吧?
- Ⓐ 可能吧。

3
- Ⓐ **確かに**ここに置いたんだけど。
- Ⓑ 見つからないの？
- Ⓐ うん。思い違いかなあ。もう一度かばんの中を見てみる。
- Ⓑ そうしたほうがいいよ。

- Ⓐ *Tashikani* koko ni oita n dakedo.
- Ⓑ Mitsukara nai no?
- Ⓐ Un. Omoi chigai kanaa. Moo ichido kaban no naka o mite miru.
- Ⓑ Soo shita hooga ii yo.

- Ⓐ I'm sure that I have put it here.
- Ⓑ You can't find it?
- Ⓐ Yeah. Am I mistaken? I will check the inside of my bag again.
- Ⓑ You should do so.

- Ⓐ 确实放在这儿啊!
- Ⓑ 没找到吗？
- Ⓐ 嗯!是我记错了吗？再在书包里找找看。
- Ⓑ 那就再找找吧。

25 そのとおり。こんなこと、絶対許せない。

Sono toori. Konna koto, zettai yurusenai.
(Absolutely. I can never forgive such a thing／是啊！这样的事是绝对不能允许的)

そのとおり	Yes, indeed. / Absolutely. 是啊。

Ⓐ 彼らは全員辞めるべきだよ。
Ⓑ **そのとおり**。こんなこと、絶対許せない。
Ⓐ でも、辞めないだろうな。

Ⓐ *Karera wa zen'in yameru beki da yo.*
Ⓑ *Sono toori. Konna koto, zettai yurusenai.*
Ⓐ *Demo, yamenai darou na.*

Ⓐ They all should resign.
Ⓑ Absolutely. I can never forgive such a thing.
Ⓐ But I don't think they would.

Ⓐ 他们都应该辞职啊！
Ⓑ 是啊！这样的事是绝对不能允许的。
Ⓐ 可是，他们不会辞的吧。

▶ 相手の意見に積極的に賛同する意思を示すときに使います。目上の人には、あとに「です」「だと思います」をつけます。

You use it to strongly agree with somebody. Please add 「desu」or 「da to omoimasu」when you are talking to your superior.

用

基本パターン	（相手の発言を受けて）**そのとおり**

1 Ⓐ こういう施設があったら、みんな利用すると思う。
Ⓑ **そのとおり**。あったら、ほんとにいいのに。

Ⓐ *Kooiu shisetsu ga attara, minna riyoo suru to omou.*
Ⓑ *Sono toori. Attara, hontoni ii noni.*

Ⓐ I think if we had a facility like this everybody would use it.
Ⓑ Yes, indeed. It would be really nice if we have this.

Ⓐ 有那样的设施的话，我想大家会利用的。
Ⓑ 的确是啊！有的话就好了。

26 おっしゃるとおりです

Ossharutoori desu
(Yes, you are right ／您说的对)

おっしゃるとおり　You are right.
　　　　　　　　　您说的对。

Ⓐ 今からデザインを変えると間に合わないし。
Ⓑ **おっしゃるとおり**です。
Ⓐ でも、このままっていうのもねえ。

Ⓐ *Ima kara dezain o kaeruto maniawanai shi.*
Ⓑ ***Ossharu toori*** *desu.*
Ⓐ *Demo, kono mama tte iunomo nee.*

Ⓐ We will miss the deadline if we change the design.
Ⓑ Yes, you are right.
Ⓐ But it wouldn't be good to leave it like this.

Ⓐ 现在更改设计来不及了。
Ⓑ 您说的对。
Ⓐ 不过，就这样也。。。

▶ 相手の意見に積極的に賛同する意思を示すときに使います。目上の人に使います。

You use it to strongly agree with your superior.
用

基本パターン　（相手の発言を受けて）＋ **おっしゃるとおり**

1　Ⓐ みんなの意見がまとまっていないんじゃないか。
　Ⓑ **おっしゃるとおり**です。まとまるまでまだ時間がかかりそうです。
　Ⓐ じゃ、もう少し様子を見ようか。

Ⓐ *Minna no iken ga matomatte inai n ja nai ka.*
Ⓑ ***Ossharu toori*** *desu. Matomaru made mada jikan ga kakari soo desu.*
Ⓐ *Ja, moo sukoshi yoosu o miyoo ka.*

Ⓐ We haven't reached an agreement, right?
Ⓑ Yes, that is true. It seems to take more time to reach a consensus.
Ⓐ Well, then why don't we wait a little longer to see how it goes.

Ⓐ 是不是没有集中大家的意见啊？
Ⓑ 是啊！要集中大家的意见还得需要时间啊！
Ⓐ 那么，再看看情况吧。

27 そうか、足りないか

Sooka, tarinai ka
(I see. It won't be enough ／是吗，不够啊)

| そうか／そっか | I see./Right.
是吗。 |

Ⓐ 予算10万円？ それじゃ、全然足りないと思う。
Ⓑ **そうか**、足りないか。
Ⓐ もう一回ちゃんと計算したほうがいいよ。
Ⓑ わかった。

Ⓐ Budget 100,000 yen? I don't think it will be enough at all.
Ⓑ I see. It won't be enough.
Ⓐ It's better to calculate it precisely again.
Ⓑ Ok, I will.

Ⓐ 预算要10万？那么，还远远不够啊！
Ⓑ 是吗，不够啊。
Ⓐ 应该好好再计算一遍。
Ⓑ 知道了。

Ⓐ *Yosan 10-man-en? Sore ja, zenzen tarinai to omou.*
Ⓑ ***Sooka**, tarinai ka.*
Ⓐ *Moo ikkai chanto keesan shita hoo ga ii yo.*
Ⓑ *Wakatta.*

意味・使う場面
相手の意見を聞いて同意を示すときに使います。親しい間では「そっか」になります。終わりを下げて言います。上げると疑問を示すことになります。

It is used to express your agreement with somebody's utterance with a falling intonation. It shows your doubt with a rising intonation. 「sokka」 is used in a close relationship.

用于听了对方的意见后表示同意。关系亲密的可用「そっか」，降低语调。抬高语调表示疑问。

基本パターン　（相手の発言を受けて）**そうか**

会話練習

1
- Ⓐ 申し込むだけは申し込んどいたほうがいいよ。
- Ⓑ <u>そうか</u>。あとでキャンセルできるもんね。
- Ⓐ そうそう。
- Ⓑ じゃ、これから電話する。

Ⓐ It would be better to apply anyway.
Ⓑ Right. I could cancel it later.
Ⓐ Yeah, yeah.
Ⓑ Then, I will call them now.

Ⓐ 只是先报名也可以啊！
Ⓑ 是吗！过后可以取消的啊！
Ⓐ 是啊！
Ⓑ 那我马上打电话。

Ⓐ *Mooshikomu dake wa mooshikondoita hoo ga ii yo.*
Ⓑ *<u>Sooka</u>. Ato de kyanseru dekiru mon ne.*
Ⓐ *Soosoo.*
Ⓑ *Ja, korekara denwa suru.*

2
- Ⓐ レポート作ったんだけど、ちょっと見てくれる？
- Ⓑ 大体いいと思うけど、例がちょっと少ないんじゃないかなあ。
- Ⓐ <u>そっか</u>。わかった。ありがとう。

Ⓐ I wrote a report. Could you look over it for me?
Ⓑ I think this is fine, but maybe the examples are not enough.
Ⓐ Right. I see. Thanks.

Ⓐ 我写了个报告，能不能帮我看一下？
Ⓑ 基本上还可以，例子是不是有点儿少啊？
Ⓐ 是吗。知道了。谢谢。

Ⓐ *Repooto tsukutta n dakedo, chotto mite kureru?*
Ⓑ *Daitai ii to omou kedo, ree ga chotto sukunai n ja nai kanaa.*
Ⓐ *<u>Sokka</u>. Wakatta. Arigatoo.*

3
- Ⓐ そのシャツはあんまり似合わないよ。
- Ⓑ <u>そうか…</u>。
- Ⓐ もっと明るい色のほうがいいんじゃない？
- Ⓑ 前にも誰かにそう言われた。

Ⓐ You don't look good in that shirt.
Ⓑ Yeah...
Ⓐ A brighter color is better, isn't it?
Ⓑ Somebody else also told me that before.

Ⓐ 那件衬衫不太适合你啊！
Ⓑ 是吗。。。
Ⓐ 颜色再亮一点的好吧？
Ⓑ 以前也有人说过。

Ⓐ *Sono shatsu wa anmari niawanai yo.*
Ⓑ *<u>Sooka…</u>.*
Ⓐ *Motto akarui iro no hoo ga ii n ja nai?*
Ⓑ *Mae nimo darekani soo iwareta.*

28 はあ

Haa.
(I see／哦)

はあ
I see.
哦。／啊。

Ⓐ 社へ持ち帰って検討したんですが…。
Ⓑ **はあ**。
Ⓐ 今は時期が悪いんじゃないかという意見が多かったんです。
Ⓑ そうですか…。

Ⓐ We all discussed it in our office, but...
Ⓑ I see.
Ⓐ Many of us think it is not a good time now.
Ⓑ I understand...

Ⓐ 拿到公司上讨论研究了，可是。。。
Ⓑ 哦。
Ⓐ 说现在不是时机的人很多。
Ⓑ 是吗。。。

Ⓐ *Sha e mochikaette kentoo shita n desu ga….*
Ⓑ *Haa*.
Ⓐ *Ima wa jiki ga warui n ja nai ka to iu iken ga ookatta n desu.*
Ⓑ *Soo desu ka….*

▶「は」を高くし「あ」を低くすると「はい、そうですか」と一応の理解や賛成の意味の応答を表します。「あ」を上げて「はあ？」と言うと、疑問や不満を示しますので、注意しましょう。

It shows your tentative understanding or agreement, when you pronounce it with a falling intonation. If you pronounce it with a rising intonation, it shows your doubt or dissatisfaction. Please be careful.

抬高「は」降低「あ」时，相当于「はい、そうですか」，表示理解或赞同。抬高「あ」说「はあ？」时，表示疑问或不满。请注意。

| 基本パターン | （相手の発言を受けて）**はあ** | ＊一応の理解 | ＊Some degree of understanding 大致的理解 |
| | | ＊疑問や不満 | ＊Doubt or dissatisfaction 疑问、不满 |

1
Ⓐ 君のここの説明文ね。
Ⓑ **はあ**。
Ⓐ 表現をもう少し間接的にするわけにはいかないかな。
Ⓑ はい、考えてみます。

Ⓐ *Kimi no koko no setsumeebun ne.*
Ⓑ *Haa*.
Ⓐ *Hyoogen o moo sukoshi kansetsuteki ni suru wake niwa ikanai kana.*
Ⓑ *Hai, kangaete mimasu.*

Ⓐ Your explanation here.
Ⓑ Yes.
Ⓐ Could you express it a little more indirectly?
Ⓑ Yes, I will think about how to do that.

Ⓐ 你的这段的说明文。
Ⓑ 啊。
Ⓐ 能不能表现的再间接点儿？
Ⓑ 好的，我考虑一下。

60

29 ほう、そうですか。

Hoo. Soo desuka.
(Oh, is that right? ／ 哦，是吗？)

ほう　　　Oh
　　　　　哦

Ⓐ 彼、国へ帰って就職したそうです。
Ⓑ **ほう**、そうですか。どんな仕事でしょうね。
Ⓐ さあ、そこまでは聞いてませんが。

Ⓐ *Kare, kuni e kaette shuushoku shita soo desu.*
Ⓑ *Hoo. Soo desuka. Donna shigoto deshoo ne.*
Ⓐ *Saa, soko made wa kiite masen ga.*

Ⓐ He went home and got a job.
Ⓑ Oh, is that right? What kind of job?
Ⓐ Um, I haven't heard that much.

Ⓐ 听说他回国就职了。
Ⓑ 哦，是吗？是什么工作啊？
Ⓐ 什么工作没听说。

▶ 相手の話を聞いて、興味やちょっとした驚きを示すときに使います。「ほう」だけでは賛成や反対、いい・悪いは意味しません。男女とも使いますが、男性のほうが多いです。

It is used to show your interest or slight surprise with somebody's utterance. 「hoo」itself doesn't show your agreement nor opposition, positive nor negative response. Both men and women use it, although men tend to use it more often.

用于听对方讲述时，表示感兴趣或惊讶。「ほう」本身没有赞成或反对、好与坏的意思。男女都可以用，但多用于男性。

基本パターン　（相手からの＊伝聞情報を受けて）＋**ほう**　＊hearsay／听到的情报

---

1 Ⓐ これ、バーゲンで安かったのよ。
　Ⓑ **ほう**、なかなかいいじゃないか。
　Ⓐ ありがとう。

Ⓐ *Kore, baagen de yasukatta noyo.*
Ⓑ *Hoo, Nakanaka ii ja nai ka.*
Ⓐ *Arigatoo.*

Ⓐ This was cheap on sale.
Ⓑ Wow, it is quite nice.
Ⓐ Thank you.

Ⓐ 这个是减价时买的，特便宜！
Ⓑ 中国語訳無し
Ⓐ 中国語訳無し

② 話を始める・話を続ける　30〜37

30 いやあ、まいったね

Iyaa, maitta ne
(Oh, my goodness／哎呀，没想到)

いやあ
Wow, Oh
哎呀

Ⓐ **いやあ**、まいったね。手続きにこんなに時間がかかるとは思わなかった。
Ⓑ ほんと。2時間近くかかった。
Ⓐ もう1時じゃない！お昼にしよう。

Ⓐ Oh, my goodness. I didn't think it would take this much time to go through the procedure.
Ⓑ Yeah, it took almost two hours.
Ⓐ It's already one o'clock! Let's eat lunch.

Ⓐ 哎呀，没想到。办手续要花这么长时间。
Ⓑ 真的，都快两个小时了。
Ⓐ 都一点了吧！吃午饭吧！

Ⓐ *Iyaa, maitta ne. Tetsuzuki ni konna ni jikan ga kakaru towa omowanakatta.*
Ⓑ *Honto. 2-jikan chikaku kakatta.*
Ⓐ *Moo ichi-ji ja nai! Ohiru ni shiyoo.*

▶ 新しい話題で話し始めるときに使います。「あのね」は話しかけに使いますが、「いやあ」は新しい話題を始めるのに使います。丁寧な話では使いません。

「anone」is used to start talking to somebody, but 「iyaa」is used to start a new topic. You don't use 「iyaa」in polite conversation.

用于提出新话题。「あのね」用于开始说话，「いやあ」用于提起新话题。不是有礼貌的说法。

基本パターン　**いやあ** ＋ [文（＊感動・興奮など）]　　Excitement／感动．兴奋

1　Ⓐ 最近、どう？
　Ⓑ **いやあ**、もう忙しくて、ほんと、目が回りそう。
　Ⓐ じゃ、遊びに行く時間なんてないか。
　Ⓑ うん、しばらくはね。また誘って。

Ⓐ *Saikin, doo?*
Ⓑ *Iyaa, moo isogashikute, honto, me ga mawari soo.*
Ⓐ *Ja, asobini iku jikan nante nai ka.*
Ⓑ *Un, shibaraku wa ne. Mata sasotte.*

Ⓐ How are you doing these days?
Ⓑ Well, I'm so busy and almost feel dizzy.
Ⓐ Then, you have no time to go out and have fun?
Ⓑ Not for a while. Ask me again later.

Ⓐ 最近怎么样？
Ⓑ 哎呀，太忙了，真的是忙得有点晕头转向！
Ⓐ 那，没时间去玩吧。
Ⓑ 嗯！暂时不行啊！下次再叫上我！

31 実は私もそうなんです

Jitsuwa watashi mo soo nan desu.
（Actually, I am too ／（其实）我也一样）

実は
actually
其实

Ⓐ スポーツはどうですか。
Ⓑ いや、私は不器用で、見るのが専門です。
Ⓐ 実は私もそうなんです。

Ⓐ Supootsu wa doo desu ka.
Ⓑ Iya, watashi wa bukiyoo de, miru no ga senmon desu.
Ⓐ *Jitsuwa* watashi mo soo nan desu.

Ⓐ How about sports?
Ⓑ No, I'm clumsy and just watch sports.
Ⓐ Actually, I am too.

Ⓐ 体育（运动）怎么样？
Ⓑ 不行，我笨手笨脚的，看是专家。
Ⓐ （其实）我也一样。

▶ これから話すことに注目してもらいたいと思うときに使います。また、話しにくいことを言い出すときにも使います。

It is used to get attention to what you will talk about. You also use it to start to tell something you feel reluctant to discuss.

用

基本パターン

実は ＋ ［文］ { …Ⓐ 話したいと思ったこと
　　　　　　　 …Ⓑ 話しにくいこと・話しにくかったこと

---

1 Ⓐ 実は、前から一度ご相談したいと思っていたんですが。
Ⓑ 何のこと？
Ⓐ 契約の変更のことです。

Ⓐ *Jitsuwa*, mae kara ichido gosoodan shitai to omotte ita n desu ga.
Ⓑ Nan no koto?
Ⓐ Keeyaku no henkoo no koto desu.

Ⓐ To tell the truth, I have been wanting to ask you something for a while.
Ⓑ What is it?
Ⓐ It is about changing the contract.

Ⓐ （其实）早就想跟您商量。
Ⓑ 什么事？
Ⓐ 关于签约变更的事。

63

32 ところで、森さん、来なかったね

ところで
by the way
不过

Tokorode, Mori-san konakatta ne
(By the way, Mr. Mori didn't come ／不过小森没来啊)

Ⓐ 今日は楽しかったね。近いうちにまた集まろうよ。
Ⓑ うん、そうしよう。ところで、森さん、来なかったね。
Ⓐ そうだね。いつも来るのに。

Ⓐ *Kyoo wa tanoshikatta ne. Chikai uchi ni mata atsumaroo yo.*
Ⓑ *Un, soo shiyoo.* ***Tokorode****, Mori-san konakatta ne.*
Ⓐ *Soo dane. Itsumo kuru noni.*

Ⓐ It was fun today. Let's get together again soon.
Ⓑ Yes, we should. By the way, Mr. Mori didn't come.
Ⓐ Yeah, he always came before.

Ⓐ 今天很开心啊！过几天再聚啊！
Ⓑ 好啊，不过小森没来啊！
Ⓐ 是啊！平时总是来的。

▶ 会話の途中で別の話を持ち出すときに使います。突然話題を変更したという印象を与えないためです。

Ⓐ You use it when you start a new topic in the middle of your conversation to avoid changing the subject too suddenly.

用于会话途中引出别的话题。为了不给人留下突然改变话题的印象。

基本パターン （前の話題）**ところで** ＋ ［新しい話題］

1 Ⓐ ところで、今の部屋はそのまま住み続けるの？
Ⓑ いや、4月から家賃を上げるって言うから、引っ越すつもり。
Ⓐ そう。

Ⓐ *Tokorode, ima no heya wa sonomama sumi tsuzukeru no?*
Ⓑ *Iya, 4-gatsu kara yachin o ageru tte iu kara, hikkosu tsumori.*
Ⓐ *Soo.*

Ⓐ Buy the way, will you continue to live in your room?
Ⓑ No, I will move out because they will increase the rent in April.
Ⓐ I see.

Ⓐ 不过现在的房间还能继续住吗？
Ⓑ 不行啊！说4月开始涨房租，打算搬家。
Ⓐ 是吗！

33 そう言えば、5月は京都に行ったんですか

そう言えば
speaking of which
这么说

Sooieba, 5-gatsu wa Kyooto ni itta n desu ka
(Speaking of which, have you gone to Kyoto in May?／不是说 5 月去京都了吗？)

- Ⓐ このところ忙しくて、どこへも行くひまがない。
- Ⓑ **そう言えば**、5月は京都に行ったんですか。
- Ⓐ いやあ、実はあれも行けなかったんだ。

Ⓐ *Kono tokoro isogashikute, doko emo iku hima ga nai.*
Ⓑ *Sooieba, 5-gatsu wa Kyooto ni itta n desu ka.*
Ⓐ *Iyaa, jitsuwa are mo ikenakatta n da.*

Ⓐ I'm so busy and have no time to go anywhere.
Ⓑ Speaking of which, have you gone to Kyoto in May?
Ⓐ Well, actually I couldn't go there either.

Ⓐ 最近很忙，哪儿也没时间去。
Ⓑ 不是说 5 月去京都了吗？
Ⓐ 没有啊！其实没去成啊！

▶ 相手の言ったことに関連して別の話題を思い出して話すときに使います。
It is used when you start a different topic related to what somebody said.
用与想起与对方说的相关的别的话题。

基本パターン　**そう言えば**＋［文（思い出したこと・気が付いたことなど）］

1. Ⓐ なんか、急に寒くなった。
   Ⓑ **そう言えば**、エアコンの調子がよくないんだ。
   Ⓐ じゃ、早く直さなきゃ。

   Ⓐ *Nanka kyuu ni samuku natta.*
   Ⓑ *Sooieba, eakon no chooshi ga yokunai n da.*
   Ⓐ *Ja, hayaku naosa nakya.*

   Ⓐ Somehow, I feel cold suddenly.
   Ⓑ Speaking of which, the air conditioning is not working well.
   Ⓐ Then, we have to fix it soon.

   Ⓐ 突然冷了。
   Ⓑ 啊！对了！空调有点儿问题。
   Ⓐ 那得早点儿修啊！

2. Ⓐ 森さんが今度結婚するんだって。
   Ⓑ **そう言えば**、ここしばらく彼女の顔、見ないね。
   Ⓐ 準備で忙しいんじゃない？
   Ⓑ そうだろうね。

   Ⓐ *Mori-san ga kondo kekkon suru n datte.*
   Ⓑ *Sooieba, koko shibaraku kanojyo no kao, minai ne.*
   Ⓐ *Junbi de isogashii n ja nai?*
   Ⓑ *Soo daroo ne.*

   Ⓐ I heard that Ms. Mori will get married soon.
   Ⓑ Speaking of which, we haven't seen her recently.
   Ⓐ She must be busy getting ready.
   Ⓑ I guess so.

   Ⓐ 听说小森要结婚了！
   Ⓑ 对呀，最近没见到她啊！
   Ⓐ 可能是忙着准备吧？
   Ⓑ 好像是吧。

34 でも、よく頑張ったよ、日本

***Demo**, yoku ganbatta yo, Nihon.*
(But, Japan did the best／不过，日本队还是打得不错啊)

| でも | but 不过 |

Ⓐ **でも**、よく頑張ったよ、日本。
Ⓑ そうだね。実力的にはだいぶ差があるのにね。
Ⓐ うん。一瞬、勝てるかなって思っちゃったよ。

Ⓐ But, Japan did the best.
Ⓑ That's true, in spite of the fact that there was a big gap of ability between them.
Ⓐ Yeah, I thought Japan could win for a moment.

Ⓐ 不过，日本队还是打得不错啊！
Ⓑ 是啊！尽管实力相差很大。
Ⓐ 嗯！一时还以为要赢了呢。

Ⓐ ***Demo**, yoku ganbatta yo, Nihon.*
Ⓑ *Soo dane. Jitsuryoku teki ni wa daibu sa ga aru noni ne.*
Ⓐ *Un. Isshunn, kateru kana tte omocchatta yo.*

意味・使う場面

話を終わりにせず、一言述べるときの表現です。それまでの意見や状況と異なる見方を示したり、軽く反対したり、改めて何かを強調したりするのに使います。強い主張ではないので、軽い調子で言います。

This is an expression to add something and continue with the same topic. It is used to show something different from the opinion or the point of view which you were talking about. You also use it to show your slight disagreement or to emphasize something again. It is not for strong argument and used with a light tone.

不将话说完，只说一部分的表现。表示对现有意见、状况的不同看法、有轻微的反对及重新强调什么的语气。不是很强的主张，是较轻的语气。

基本パターン　（これまでの話の流れに続けて）**でも** ＋ ［文］

会話練習

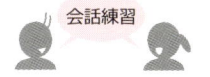

PART2 ●目的別でとらえる基本表現

1. ⓐ 彼女、留学をあきらめて就職するって、ほんと？
   ⓑ **でも**ね、まだはっきり決めたわけでもないらしいんだ。
   ⓐ そう。

   ⓐ Kanojo, ryuugaku o akiramete shuushoku suru tte, honto?.
   ⓑ *Demo*ne, mada hakkiri kimeta wake demo nai rashii n da.
   ⓐ Soo.

   ⓐ I heard that she gave up studying abroad and will get a job.
   ⓑ Yeah, but it seems that she has not completely decided.
   ⓐ Really.

   ⓐ 听说她不去留学要就职？
   ⓑ 嗯。不过，好像不是啊。
   ⓐ 是吗。

2. ⓐ 料理研究会の計画、変更はないんだろう？
   ⓑ **でも**ね、人数がだいぶ減っちゃったんだ。
   ⓐ そう。残念だね。

   ⓐ Ryoori kenkyuukai no keekaku, henkoo wa nai n daroo?
   ⓑ *Demo*ne, ninzuu ga daibu hecchatta n da.
   ⓐ Soo. Zannen dane.

   ⓐ The plan for the cooking workshop has not been changed, right?
   ⓑ Yeah, but we have much fewer people.
   ⓐ Oh, that's too bad.

   ⓐ 料理研究会的计划没变化吧？
   ⓑ 不过，参加的人减少了不少啊。
   ⓐ 是吗。太遗憾了。

3. ⓐ 焼きものって面白いですね。
   ⓑ ええ。**でも**、まだよくわからないんです。
   ⓐ 私もよくわかってないけど、好きですよ。

   ⓐ Yakimono tte omoshiroi desu ne.
   ⓑ Ee. *Demo*, mada yoku wakaranai n desu.
   ⓐ Watashi mo yoku wakatte nai kedo, suki desu yo.

   ⓐ Making pottery is interesting.
   ⓑ Yes it is. But I still don't know it well.
   ⓐ I don't know it well either, but I like it.

   ⓐ 吃醋觉得挺有意思的啊。
   ⓑ 嗯！不过，还搞不清。
   ⓐ 我也搞不清楚，不过，还是喜欢。

67

35 それで考えたんだけど

Sorede kangaeta n dakedo
(so I think about it ／所以我想)

| それで | so
这么，因此 |

Ⓐ うちのチーム、最近、負け続けだね。
Ⓑ そうなのよ。**それで**考えたんだけど、元気づけの会、やらない？
Ⓐ だめだめ。会より練習だよ。

Ⓐ Uchi no chiimu, saikin, make tsuzuke dane.
Ⓑ Soo nano yo. **Sorede** kangaeta n dakedo, genki zuke no kai, yaranai?
Ⓐ Damedame. Kai yori renshuu da yo.

Ⓐ Our team keeps losing these days.
Ⓑ That's right, so I think about it. Why don't we have a party to cheer everybody up?
Ⓐ NO, no. Practicing is more important than having a party.

Ⓐ 我们队最近连续输。
Ⓑ 是啊！所以我想开个激励会怎么样？
Ⓐ 开什么会呀（不行，不行）！重要的是练习！

意味・使う場面

相手の言ったことに関連して自分の話題を持ち出すときや、相手が次に言うことを待つ場合に使います。

You use it to start saying something related to what somebody said or to encourage somebody to say more.

用于提出与对方相关的自己的话题或等待对方说下去。

基本パターン

［文（状況・問題点）］＋ **それで** ＋［文（意見・考え・質問など）］

会話練習

PART2 ●目的別でとらえる基本表現

1
- Ⓐ じゃ、この辺で今日の練習は終わりにしようか。
- Ⓑ うん。**それで**、これからのこと、相談しなきゃ。
- Ⓐ そうだね。でも、この人数じゃ、決めにくいよ。

Ⓐ Well, why don't we stop today's practice now.
Ⓑ Yes, then we should talk about our future.
Ⓐ You are right, but it's difficult to decide with a small number of people like this.

Ⓐ Ja, kono hen de kyoo no renshuu wa owari ni shiyoo ka.
Ⓑ Un. **Sorede**, korekara no koto, soodan shina kya.
Ⓐ Soo dane. Demo, kono ninzuu ja, kime nikui yo.

Ⓐ 那么，今天就练到这儿吧。
Ⓑ 嗯。啊，关于今后的事，应该商量一下。
Ⓐ 哦。是啊，不过现在的人数很难定啊！

2
- Ⓐ 今の仕事、自分に合ってないような気がするんだ。
- Ⓑ ふーん。**それで？**
- Ⓐ とりあえずやめて、それから次の仕事を探そうかと思ってる。

Ⓐ I don't think my current job suits me.
Ⓑ Uh-huh, then?
Ⓐ I'm thinking of quitting anyway and looking for another job.

Ⓐ Ima no shigoto, jibun ni attenai youna ki ga suru n da.
Ⓑ Fuun. **Sorede?**
Ⓐ Toriaezu yamete, sorekara tsugi no shigoto o sagasoo kato omotteru.

Ⓐ 今天的工作觉得不适合自己。
Ⓑ 是吗？那。。。
Ⓐ 总之我想辞掉后再找下个工作。

3
- Ⓐ 運動不足は体によくないって言うじゃない？
- Ⓑ うん。よくそう言うね。
- Ⓐ **それで**ね、朝、駅までバスに乗らないで歩いて行こうと思って。
- Ⓑ ちょっと無理じゃない？ 会社に着くまでに疲れちゃうよ。

Ⓐ They say it is not good for your health if you don't exercise, right?
Ⓑ Yes, they often say so.
Ⓐ So, I'm thinking of walking to the station instead of taking a bus.
Ⓑ Isn't it a little difficult? You will be tired before getting to your office.

中国語無し

Ⓐ Undoo busoku wa karada ni yokunai tte iu ja nai?
Ⓑ Un. Yoku soo iu ne.
Ⓐ **Sorede**ne, asa, eki made basu ni noranaide aruite ikoo to omotte.
Ⓑ Chotto muri ja nai? Kaisha ni tsuku made ni tsukare chau yo.

36 というわけで、来週の発表会は延期だって

Toiuwakede, raisyuu no happyookai wa enki datte

(For this reason, they say that next week recital was postponed ／ 因此，下周的发表会延期了)

| というわけで | for this reason 因此 |

Ⓐ <u>というわけで</u>、来週の発表会は延期だって。
Ⓑ なんだ、残念だなあ。楽しみにしてたのに。

Ⓐ *Toiuwakede*, raisyuu no happyookai wa enki datte.
Ⓑ Nanda, zannen danaa. Tanoshimi ni shiteta noni.

Ⓐ For this reason, they say that next week recital was postponed.
Ⓑ Oh, that is too bad. I was looking forward to it.

Ⓐ 因此，下周的发表会延期了。
Ⓑ 唉！真遗憾啊！我那么期待着。

▶ 事情の説明が終わったことを知らせるときに使います。相手がそれを聞いて了解したと言った場合に次の話題に移ります。

It is used to let others know that you finished explaining the situation. After they tell you that they understand it, you move to the next topic.

用于通知事情说明结束，对方听了说知道后转向下个话题。

| 基本パターン | ［文（事情）］ ＋ **というわけで** ＋ ［文（報告・説明）］ |

1 Ⓐ <u>というわけで</u>、今日は結論が出なかったんだ。
Ⓑ そうか…。早く決まってくれればいいんだけど。

Ⓐ *Toiuwakede*, kyoo wa ketsuron ga denakatta n da.
Ⓑ Sooka…. Hayaku kimatte kurereba ii n dakedo.

Ⓐ For this reason, we couldn't get our final decision.
Ⓑ I see…I hope it will be decided soon.

Ⓐ 因此（所以）今天没出结论（结果）。
Ⓑ 是吗。。。还是应该早作决定啊！

37 とすると、明日には間に合わない？

とすると
then
这么，那样的话

To suruto, ashita niwa maniawanai?.
(If you do that, will you be able to make it by tomorrow?／这样的话，明天来不及了？)

Ⓐ すみません、こちらの商品ですとお取り寄せになるんですが…。
Ⓑ <u>とすると</u>、明日には間に合わない？
Ⓐ 申し訳ありません。

Ⓐ Sumimasen, kochira no shoohin desuto otoriyose ni naru n desu ga….
Ⓑ <u>To suruto</u>, ashita niwa maniawanai?
Ⓐ Mooshiwake arimasen.

Ⓐ I'm sorry, but we need to order if it's this product.
Ⓑ If you do that, will you be able to make it by tomorrow?
Ⓐ I'm very sorry.

Ⓐ 对不起，这个商品的话要预定。。。
Ⓑ 这样的话，明天来不及了？
Ⓐ 实在抱歉。

▶ 相手が提案したことや新たに示された事実などについて、その結果を話し合うときに使います。「そうすると」でもいいのですが、「とすると」のほうがはっきりした感じです。

It is used to talk about the conclusion reached from someone's offer or the new fact someone said. 「soo suru to」 can be used, but 「to suru to」 gives clearer impression.

用于商谈关于对方提出的事及既成新事实的结果。也可以说「そうすると」，不过说「とすると」给人的感觉更明确。

| 基本パターン | [文（今の状況）] ＋ **とすると** ＋ [文（判断・確認）] |

1 Ⓐ メンバーがだいぶ減ったから、来年はやめようか。
Ⓑ <u>とすると</u>、次回は再来年か。
Ⓐ ちょっと間が空きすぎるね。

Ⓐ Menbaa ga daibu hetta kara, rainen wa yameyoo ka.
Ⓑ <u>To suruto</u>, jikai wa sarainen ka.
Ⓐ Chotto aida ga aki sugiru ne.

Ⓐ Shall we skip next year since we lost so many members?
Ⓑ Then, the next one will be held the year after next.
Ⓐ It will be too long an interval.

Ⓐ 人员减少了很多，明年就不搞了吧。
Ⓑ 这样以来，下次就是后年了吧？
Ⓐ 中间隔的时间有点儿太长了吧。

③内容を付け足す 38〜42

38 あと、中間報告をしてくださいね

Ato, chuukan hookoku o shite kudasai ne.
(And, please give us an interim report ／还有做个中间报告吧)

あと／あとは　　and／还有

Ⓐ じゃ、この案のとおりにやります。
Ⓑ ええ。**あと**、中間報告をしてくださいね。
Ⓐ はい、わかりました。

Ⓐ *Ja, kono an no toori ni yarimasu.*
Ⓑ *Ee. **Ato**, chuukan hookoku o shite kudasai ne.*
Ⓐ *Hai, wakarimashita.*

Ⓐ Ok, then, I will follow this plan.
Ⓑ And, please give us an interim report.
Ⓐ Yes, I will.

Ⓐ 那么，就按这个方案进行。
Ⓑ 还有做个中间报告吧。
Ⓐ 好的，知道了。

意味・使う場面

一つのことを話し終えたあと、別のことを言うときに使います。「あとに付け加えて」という意味です。思い出したり気づいたりして言うときによく使います。

You use it to say something additional after you said something. It means "in addition to it". It is used often to say something you have just remembered or noticed.

用于说完一件事后接着说别的事。有「あとに付け加えて」（后加）的意思。也用于想起什么，或发觉什么。

基本パターン　［前の文］ ＋ **あと** ＋ ［文（* 追加情報）］　　*additional information／附加信息

会話練習

PART2 ●目的別でとらえる基本表現

1 Ⓐ では、15日に空港でお会いしましょう。
　Ⓑ はい。よろしくお願いします。
　Ⓐ ああ、**あと**、パンフレットに書いてある注意事項をよく読んでおいてください。

Ⓐ Then, let's meet at the airport on the 15th.
Ⓑ Yes, thank you.
Ⓐ Oh, and please read the instructions in the brochure carefully in advance.

Ⓐ Dewa, 15-nichi ni kuukoo de oaishimashoo.
Ⓑ Hai. Yoroshiku onegai shimasu.
Ⓐ Aa, *ato*, panfuretto ni kaitearu chuui jikoo o yoku yonde oite kudasai.

Ⓐ 那么15号在机场见吧。
Ⓑ 好的，请多关照。
Ⓐ 啊，还有小册子上写的注意事项事先要好好看看。

2 Ⓐ 先週引っ越して、これからはこの住所になるので、よろしく。
　Ⓑ わかった。
　Ⓐ ああ、**あと**、電話も変わったんだ、この番号に。
　Ⓑ ああ、これね。

Ⓐ I moved last week and please use this address from now on.
Ⓑ Ok.
Ⓐ Oh, and my phone number has also changed to this.
Ⓑ Ok, this one.

Ⓐ Senshuu hikkoshite, korekara wa kono juusho ni narunode, yoroshiku.
Ⓑ Wakatta.
Ⓐ Aa, *ato*, denwa mo kawatta n da, kono bangoo ni.
Ⓑ Aa, kore ne.

Ⓐ 上周搬家了，今后用这个地址，请多关照。
Ⓑ 知道了。
Ⓐ 啊！还有电话也变了，打这个电话。
Ⓑ 啊！是这个啊！

3 Ⓐ お皿とグラス、並べたよ。あとは？
　Ⓑ えーっと…。じゃ、サラダとチーズを出してくれる？　**あと**、生ハムも。
　Ⓐ わかった。

Ⓐ I have put the plates and the glasses out. And anything else?
Ⓑ Well.... then can you put the salad and the cheese out? And the proscuitto, too.
Ⓐ No problem.

Ⓐ Osara to gurasu, narabeta yo. Ato wa?
Ⓑ Eetto.... Ja, sarada to chiizu o dashite kureru? *Ato*, nama-hamu mo.
Ⓐ Wakatta.

Ⓐ 碟子和杯子都摆好了，还干什么？
Ⓑ 那把沙拉和奶酪拿出来吧，还有生火腿也拿出来。
Ⓐ 知道了。

73

39 ちなみに、集合場所は同じね

Chinami ni, shuugoo basho wa onaji ne
(By the way, we'll still be meeting in the same place／顺便说一下，集合地点不变)

ちなみに　　By the way／顺便说

Ⓐ 明日の集合時間、1時間早くなったけど、いい？
Ⓑ いいよ。
Ⓐ <u>ちなみに</u>、集合場所は同じね。
Ⓑ わかった。

Ⓐ Ashita no shuugoo jikan, 1jikan hayaku natta kedo, ii?
Ⓑ Ii yo.
Ⓐ <u>Chinami ni</u>, shuugoo basho wa onaji ne.
Ⓑ Wakatta.

Ⓐ We're going to be meeting an hour earlier tomorrow. Is that okay?
Ⓑ Sure.
Ⓐ By the way, we'll still be meeting in the same place.
Ⓑ All right.

Ⓐ 明天集合时间提前一个小时，行吗?
Ⓑ 没问题。
Ⓐ 顺便说一下，集合地点不变。
Ⓑ 知道了。

意味・使う場面　話のあとで、それに関連した情報などを伝えるのに使います。「ちなみに」は「関連したことに」という意味です。

Used to convey related information after you've said something.「ちなみに」means "On a related note."

用于话后传达与其相关的信息。「ちなみに」是「関連したことに／相关的事」的意思。

基本パターン　［文］＋**ちなみに**＋［文など（前の文の補足的な情報）］

会話練習

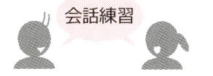

1
- Ⓐ うちの部署にもやっと新人が入った。
- Ⓑ よかったじゃない。少しは楽になるね。
- Ⓐ うん。**ちなみに**、田中さんの大学の後輩。
- Ⓑ そうなんだ。じゃ、優しくしてあげてね。

Ⓐ Uchi no busho nimo yatto shinjin ga haitta.
Ⓑ Yokatta janai. Sukoshi wa raku ni naru ne.
Ⓐ Un. *Chinami ni*, Tanaka-san no daigaku no koohai.
Ⓑ Soo nanda. Ja yasashiku shite agete ne.

Ⓐ My department finally got a new employee, too.
Ⓑ That's great. Now things will be a little easier.
Ⓐ Yeah. By the way, he was your junior in university, Tanaka-san.
Ⓑ Oh. Be nice to him, then.

Ⓐ 我们部里终于来了个新毕业生。
Ⓑ 太好了。能轻松一下了吧。
Ⓐ 嗯！而且还是田中的大学后辈呢。
Ⓑ 是吗。那得对他好点儿啊。

2
- Ⓐ このお店、ペット連れて入ってもいいんだって。
- Ⓑ へー。じゃ、今度行ってみよう。
- Ⓐ **ちなみに**、おとなしいペットに限るって。
- Ⓑ おとなしい？ うちのラッキーは微妙だなあ。

Ⓐ Kono omise, petto tsurete haitte mo ii n datte.
Ⓑ Hee. Ja, kondo itte miyoo.
Ⓐ *Chinami ni*, otonashii petto ni kagiru tte.
Ⓑ Otonashii? Uchino Rakkii wa bimyoo danaa.

Ⓐ They say you can bring your pet into this store.
Ⓑ Huh. I should try that next time.
Ⓐ By the way, they say that only well-behaved pets are allowed.
Ⓑ Well-behaved? I'm not sure if Lucky would count as well-behaved.

Ⓐ 这个店听说可以带宠物来。
Ⓑ 哎。那下次去看看。
Ⓐ 不过，说是只限老实的宠物。
Ⓑ 老实的？ 那我家的狗（ラッキー）恐怕不行吧。

40 しかも、礼儀正(ただ)しくて感(かん)じがいいんだ

Shikamo, reegi-tadashikute kanji ga ii n da
(Not only that, he's polite and nice to be around ／
而且很有礼貌，给人的印象不错)

| しかも | Not only that
而且 |

Ⓐ 今度(こんど)入(はい)った人(ひと)、まじめでよく働(はたら)くよ。
Ⓑ そう。よかったね。
Ⓐ **しかも**、礼儀正(れいぎただ)しくて感(かん)じがいいんだ。

Ⓐ The new guy is a serious and hard worker.
Ⓑ Oh. That's good.
Ⓐ Not only that, he's polite and nice to be around.

Ⓐ 这次进来的人又认真又勤快啊！
Ⓑ 是吗！那太好了！
Ⓐ 而且很有礼貌，给人的印象不错。

Ⓐ *Kondo haitta hito, majime de yoku hataraku yo.*
Ⓑ *Soo. Yokatta ne.*
Ⓐ ***Shikamo**, reegi-tadashikute kanji ga ii n da.*

意味・使う場面　話(はなし)のあとで「その上(うえ)、さらに」という意味(いみ)で追加(ついか)の情報(じょうほう)などを伝(つた)えるのに使(つか)います。
Used to convey additional information that goes beyond what has already been stated.
用于话后传达追加情报，相当于「その上、さらに」的意思。

基本パターン　①［文(ぶん)］＋**しかも**＋②［A／V／文(ぶん)（前(まえ)の文(ぶん)に追加(ついか)したい情報(じょうほう)）］

会話練習

PART2 ●目的別でとらえる基本表現

1. Ⓐ うちの上司、直せというだけで、どう直すか指示してくれないんだよね。
   Ⓑ そりゃ、困るね。
   Ⓐ **しかも**、質問すると機嫌を悪くするし…。

   Ⓐ Uchi no jooshi, naose to iu dakede, doo naosuka shiji shite kurenai n da yo ne.
   Ⓑ Sorya, komaru ne.
   Ⓐ **Shikamo**, shitsumon suruto kigen o waruku surushi….

   Ⓐ My boss just tells us to fix things without saying how to fix them.
   Ⓑ That sounds rough.
   Ⓐ Not only that, he gets in a bad mood if you ask him questions...

   Ⓐ 我们上司只是命令说要修改，可是不指示怎么修改。
   Ⓑ 那太难办了。
   Ⓐ 而且，一向他提问就他就不高兴。

2. Ⓐ 彼、このところ、いつも留守で、全然連絡がとれない。
   Ⓑ そうなんだ。
   Ⓐ **しかも**、メールにも返事がなくて…。

   Ⓐ Kare, kono tokoro, itsumo rusu de, zenzen renraku ga torenai.
   Ⓑ Soo nan da.
   Ⓐ **Shikamo**, meeru nimo henji ga nakute….

   Ⓐ He's never home lately, so it's impossible to get in contact with him.
   Ⓑ I see.
   Ⓐ Not only that, he never replies to his e-mails...

   Ⓐ 他最近总不在家，根本联系不上。
   Ⓑ 是吗。
   Ⓐ 而且，也不回短信。

3. Ⓐ 今度となりの部屋に越してきた人、音がうるさいんだ。
   Ⓑ 注意した？
   Ⓐ したけど、適当に返事するだけ。**しかも**、不機嫌そうな顔して。
   Ⓑ いやだね。

   Ⓐ Kondo tonari no heya ni koshite kita hito, oto ga urusai n da.
   Ⓑ Chuui shita?
   Ⓐ Shita kedo, tekitoo ni henji suru dake. **Shikamo**, fukigen soona kao shite,
   Ⓑ Iya da ne.

   Ⓐ The person who moved in next door is noisy.
   Ⓑ Did you try warning him?
   Ⓐ I did, but he wasn't acting serious when he answered. Plus, he looked annoyed.
   Ⓑ That's no good.

   Ⓐ 这次搬来的人真吵人。
   Ⓑ 你忠告他了吗？
   Ⓐ 我说了，他只是敷衍回答，而且露出不高兴的表情。
   Ⓑ 真让人讨厌啊。

41 といっても、仕上がりが雑だと困るけど

To ittemo, shiagari ga zatsu dato komaru kedo
(Though I don't want it to turn out sloppy ／不过，草率完工可不行啊)

| といっても | Though
不过 |

Ⓐ なるべく早く仕上げてね。
Ⓑ はい、はい。
Ⓐ <u>といっても</u>、仕上がりが雑だと困るけど。

Ⓐ Finish it as soon as you can.
Ⓑ Okay, okay.
Ⓐ Though I don't want it to turn out sloppy.

Ⓐ 尽可能早点儿干完啊。
Ⓑ 好的。
Ⓐ 不过，草率完工可不行啊。

Ⓐ Narubeku hayaku shiagete ne.
Ⓑ Hai, hai.
Ⓐ <u>To ittemo</u>, shiagari ga zatsu dato komaru kedo.

意味・使う場面
話のあとで、「それはそうだが」という意味で別の意見などを伝えるのに使います。自分の話のあとにも、相手の言ったことのあとにも使います。

Used to convey an opinion separate from one just stated while acknowledging the earlier statement. It can be used after your own words, or after someone else's.

用于话后传达别的意见，有「それはそうだが」的意思。用于自己说的话后，也用于对方说的话后。

基本パターン
① [A／V／文など] ＋ <u>といっても</u> ＋ ② [文]
※①を認めながら②で別の意見を伝える

会話練習

1 Ⓐ 彼、日本の食べ物、大丈夫だって？
Ⓑ うん。
Ⓐ **といっても**、多少は苦手なものとかあるだろうね。
Ⓑ そりゃそうだろうね。

Ⓐ Kare, Nihon no tabemono, daijoobu datte?
Ⓑ Un.
Ⓐ **To ittemo**, tashoo wa nigatena mono toka arudaroo ne.
Ⓑ Sorya soo daroo ne.

Ⓐ So he says he can eat Japanese food?
Ⓑ Yes.
Ⓐ Though he must have some kinds of food he dislikes.
Ⓑ I would assume so.

Ⓐ 他说今天的饮食没问题？
Ⓑ 嗯。
Ⓐ 不过，多少还是有点不适应吧。
Ⓑ 那是肯定的。

---

2 Ⓐ その本、急がないから、ゆっくり読んで。
Ⓑ ありがとう。
Ⓐ **といっても**、年内には返してね。

Ⓐ Sono hon, isoganai kara, yukkuri yonde.
Ⓑ Arigatoo.
Ⓐ **To ittemo**, nennai niwa kaeshite ne.

Ⓐ I won't rush you with that book. Take your time as you read it.
Ⓑ Thank you.
Ⓐ Though I would like you to give it back within the year.

Ⓐ 那本书不急，你慢慢看吧。
Ⓑ 谢谢！
Ⓐ 不过，年内还给我哈。

---

3 Ⓐ 彼はすごくまじめな人で、仕事の不満とか人の悪口とか一切言わないよ。
Ⓑ ふーん。**といっても**ねえ、たまには言うんじゃない？
Ⓐ さあ。私はまだ聞いたことないけど。

Ⓐ Kare wa sugoku majimena hito de, shigoto no fuman toka hito no waruguchi toka issai iwanai yo.
Ⓑ Fuun. **To ittemo** nee, tamaniwa iu n ja nai?
Ⓐ Saa. Watashi wa mada kiita koto nai kedo.

Ⓐ He's very serious, and he never complains about work or other people.
Ⓑ Huh. Though he has to some time, right?
Ⓐ Who knows. I haven't heard anything like that out of his mouth yet.

Ⓐ 他是个很认真的人，绝对不说工作上的不满和别人的坏话的。
Ⓑ 不过，偶尔不也说吗？
Ⓐ 是吗？ 那我可是还没听到。

42 それに、食事も値段の割にまあまあ

Soreni, shokuji mo nedan no wari ni maamaa
(Also, the food wasn't bad, considering the price／而且吃的也挺好)

それに — also, and／而且

Ⓐ ホテル、よかったよ。窓からの眺めもいいし。
Ⓑ そう。
Ⓐ **それに**、食事も値段の割にまあまあ。
Ⓑ じゃ、うちの社員旅行もそこにしよう。

Ⓐ The hotel was good. The view out of the window was great, too.
Ⓑ Oh.
Ⓐ Also, the food wasn't bad, considering the price.
Ⓑ Then I think we'll go there for our company trip, too.

Ⓐ *Hoteru, yokatta yo. Mado kara no nagame mo ii shi.*
Ⓑ *Soo.*
Ⓐ *Soreni, shokuji mo nedan no wari ni maamaa.*
Ⓑ *Ja, uchi no shain-ryokoo mo soko ni shiyoo.*

Ⓐ 那饭店不错啊！从窗户看到的景致也很美。
Ⓑ 是吗！
Ⓐ 而且吃的也挺好
Ⓑ 那，我们公司的员工旅行就定那家吧。

意味・使う場面
話のあとで、その上に加える別の情報などを伝えるのに使います。
Used to convey further information after something has been said.
话のあとで、その上に加える別の情報などを伝えるのに使います。用于话后传达追加的信息情报。

基本パターン
① ［前の文］＋**それに**＋② ［文（＊前の文に追加する情報）］
※①で基本的な情報を伝えて、②で補足する。

会話練習　PART2 ●目的別でとらえる基本表現

1　Ⓐ そのスカーフ、色がきれいだね。
　　Ⓑ ありがとう。ちょっと奮発したの。
　　Ⓐ **それに**、森さんによく似あってるよ。
　　Ⓑ そう？

　　Ⓐ Sono sukaafu, iro ga kiree dane.
　　Ⓑ Arigatoo. Chotto funpatsu shita no.
　　Ⓐ **Sore ni**, Mori-san ni yoku niatteru yo.
　　Ⓑ Soo?

Ⓐ That scarf has a beautiful color.
Ⓑ Thank you. I splurged on it a little.
Ⓐ Also, it looks good on you.
Ⓑ Really?

Ⓐ 那条丝巾颜色很漂亮啊。
Ⓑ 谢谢！豁出去买下了。
Ⓐ 而且特别适合你。
Ⓑ 是吗？

2　Ⓐ この製品、意外に売れてないんだって？
　　Ⓑ そうなんだよ。営業のほうでも残念がってる。
　　Ⓐ 値段がちょっと高いか…。
　　Ⓑ うん…。**それに**、宣伝もあまりしてないから。

　　Ⓐ Kono seehin, igai ni urete nai n datte?
　　Ⓑ Soo nandayo. Eegyo no hoo demo zannen gatteru.
　　Ⓐ Nedan ga chotto takai ka・・・。
　　Ⓑ Un…. **Sore ni**, senden mo amari shite nai kara.

Ⓐ So this product doesn't sell as well as you'd expect?
Ⓑ That's right. The sales team is disappointed too.
Ⓐ I guess the price is a little high...
Ⓑ Yeah... Also, we haven't done much promotion, either.

Ⓐ 这个商品听说没有想像的那么好买？
Ⓑ 是啊。销售那面也感到挺遗憾的。
Ⓐ 是价格有点儿高？
Ⓐ 嗯…。而且也因为没怎么宣传。

3　Ⓐ 今度の先生、出欠やかましいんだ。
　　Ⓑ そういうの、困るね。
　　Ⓐ **それに**、ときどき抜き打ちで試験やるんだって。

　　Ⓐ Kondo no sensee, shukketsu yakamashii n da.
　　Ⓑ Sooiuno, komaru ne.
　　Ⓐ **Sore ni**, tokidoki nukiuchi de shiken yaru n datte.

Ⓐ My teacher this time is really fussy about attendance.
Ⓑ Those types are annoying to deal with.
Ⓐ Also, I hear he sometimes gives pop quizzes.

Ⓐ 这回的老师对出席要求很严啊。
Ⓑ 是吗，那太糟糕了。
Ⓐ 而且听说常常突然搞测验。

④ 相手の話を受けて続ける　43〜46

43　それが、もうだめになったんだって

Sore ga, moo dame ni natta n dattte
(Actually, they say it was already called off. ／不过听说吹了)

それが　　　Actually
　　　　　　其实

Ⓐ 山下さん、婚約したんだって？
Ⓑ **それが**、もうだめになったんだって。
Ⓐ えっ、何、それ!?
Ⓑ 私もよくわからないんだけどね。

Ⓐ So Yamashita-san became engaged?
Ⓑ Actually, they say it was already called off.
Ⓐ Huh? What do you mean by that?!
Ⓑ I don't understand it, either.

Ⓐ 听说山下订婚了？
Ⓑ 不过听说吹了。
Ⓐ 唉，为什么？
Ⓑ 我也不太清楚。

Ⓐ *Yamashita-san, kon'yaku shita n datte?*
Ⓑ ***Sore ga***, *moo dame ni natta n dattte.*
Ⓐ *Ett, nani, sore!?*
Ⓑ *Watashi mo yoku wakaranai n dakedo ne.*

意味・使う場面　相手の話を受けて、それに関連して相手が意外に思うことを伝えるときに使います。「そのことですが、実は…」というニュアンスを表します。

Used to accept something that has been said, and then to communicate something related that may be surprising. Used to say "Well yes, but actually..."

用于听完对方的话后，传达于此相关的使对方感到意外的消息。有「そのことですが、実は… ／那件事其实。。。」的意思。

基本パターン　［相手の話］＋ **それが** ＋［文（相手が意外に思うこと）］

会話練習

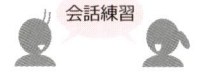

PART2 ●目的別でとらえる基本表現

1 ⓐ 今度の担当の人、おとなしそうな人だね。
ⓑ **それが**おとなしいどころか、すごいんだよ。
ⓐ へえ、どんなふうに？
ⓑ ボクシングのプロの資格を持ってるんだって。

ⓐ Kondo no tantoo no hito, Otonashi soona hito da ne.
ⓑ **Sore ga** otonashii dokoroka, sugoi n da yo.
ⓐ Hee, donna fuuni?
ⓑ Bokushingu no puro no shikaku o motteru n datte.

ⓐ Our homeroom teacher this time seems like a very easy-going person.
ⓑ You might think that, but actually, you won't believe it.
ⓐ Hm? What do you mean by that?
ⓑ They say he has a professional boxing license.

ⓐ 这次的负责人好像人很老实啊。
ⓑ 别说老实了，实在是不得了啊。
ⓐ 唉？哪儿不得了？
ⓑ 听说他有职业拳击资格呢。

2 ⓐ 展覧会、どうだった？
ⓑ **それが**さ、人が多すぎて、なかなか絵の近くまで行けなかったんだよ。ゆっくり見（ら）れないし。
ⓐ それは残念だったね。
ⓑ だから今度、朝早く行ってみるよ。

ⓐ Tenrankai doo datta?
ⓑ **Sorega** sa, hito ga oosugite, nakanaka e no chikaku made ikenakatta n da yo. Yukkuri mi(ra)renai shi.
ⓐ Sore wa zannen datta ne.
ⓑ Dakara kondo, asa hayaku itte miru yo.

ⓐ How was the exhibit?
ⓑ Actually, it was too crowded and I couldn't get very close to the art. I couldn't take my time, either.
ⓐ That's too bad.
ⓑ I'll try going early in the morning next time.

ⓐ 展览会怎么样？
ⓑ 人太多了，根本到不了近处看，也没法仔细看。
ⓐ 那太遗憾了。
ⓑ 所以下次一大早就去看。

3 ⓐ 今度の部屋、駅から近いんだって？
ⓑ **それが**、駅から近すぎて…。
ⓐ え？　どういうこと？
ⓑ 電車が通るたびにゆれるんだよ。

ⓐ Kondo no heya, eki kara chikai n datte?
ⓑ **Sore ga**, eki kara chikasugite….
ⓐ E? Dooiu koto?
ⓑ Densha ga tooru tabi ni yureru n da yo.

ⓐ So your new room is close to the station?
ⓑ Actually, it's too close...
ⓐ Huh? What do you mean by that?
ⓑ It shakes every time a train goes by.

ⓐ 这回的房子听说离车站很近？
ⓑ 不过那也离得太近了…。
ⓐ 唉？　什么情况？
ⓑ 每次电车通过时房子都在晃。

83

44 それよりお昼にしよう

Soreyori ohiru ni shiyoo

(More importantly, why don't we get lunch instead?／还是先吃饭吧)

それより — more importantly／比那个更重要的事

Ⓐ あ、そうだ。プリンターのインクがなくなったから買わないと。
Ⓑ **それより**お昼にしよう。もうお腹ぺこぺこ。
Ⓐ そうだね。じゃ、そこのイタリアンにしようか。
Ⓑ 任せるよ。

Ⓐ Oh, that's right. My printer ran out of ink, so I need to go buy some.
Ⓑ More importantly, why don't we get lunch instead? I'm starved.
Ⓐ You're right. Do you want to the nearby Italian restaurant?
Ⓑ I'll let you choose.

Ⓐ A, sooda. Purintaa no inku ga nakunatta kara kawanaito.
Ⓑ **Soreyori** ohiru ni shiyoo. Moo onaka pekopeko.
Ⓐ Soo da ne. Ja, soko no itarian ni shiyoo ka.
Ⓑ Makaseru yo.

Ⓐ 啊,对了！ 复印机里的油墨没了，得去买。
Ⓑ 还是先吃饭吧，肚子已经饿得不行了。
Ⓐ 好。那去那家意大利店吧。
Ⓑ 听你的。

意味・使う場面
相手の話を聞いて、より緊急の問題やより優先すべき事柄があることを伝えるのに使います。

Used to convey that you've heard what someone has said but that there is a more urgent problem or a matter that deserves greater priority.

用于听了对方的话后，传达有更紧急更优先事要做。

基本パターン

［相手の話］＋ **それより** ＋［文（相手が話したことより優先したいこと）］

会話練習

PART2 ●目的別でとらえる基本表現

1 Ⓐ この間借りたカメラ、もうちょっと貸してくれない？

　Ⓑ **それより**、去年貸した2000円、まだ返してもらってないよ。

　Ⓐ あ、ごめん、そうだった。

　Ⓐ Kono aida karita kamera, moo chotto kashite kurenai?
　Ⓑ **Soreyori**, kyonen kashita 2000 en, mada kaeshite moratte nai yo.
　Ⓐ Att, gomen, soo datta.

Ⓐ Can I hold on to the camera I borrowed the other day for a little longer?
Ⓑ More importantly, you still haven't paid me back the 2,000 yen you borrowed last year.
Ⓐ Oh, sorry. You're right.

Ⓐ 前几天借的照相机能不能再借我用一下？
Ⓑ 在这之前先把去年借给你的2000日元还给我。
Ⓐ 啊，对不起！是有那么回事。

---

2 Ⓐ 営業成績の順位が発表になったよ。

　Ⓑ **それより**、社長が倒れたって聞いた？

　Ⓐ いや。ほんとなの？

　Ⓐ Eegyoo seeseki no jun'i ga happyoo ni natta yo.
　Ⓑ **Soreyori**, shachoo ga taoreta tte kiita?
　Ⓐ Iya. Honto nano?

Ⓐ They announced the sales performance rankings.
Ⓑ More importantly, did you hear that the company president collapsed?
Ⓐ No. Really?

Ⓐ 营业成绩的排名公布了。
Ⓑ 比那个更重要的事，你听说社长病倒了吗？
Ⓐ 没有啊。是真的？

---

3 Ⓐ 山田さんって、えらいね。アルバイトしながら成績優秀なんだもん。

　Ⓑ ほかの人をほめるのはいいけど…。

　Ⓐ けど、なあに？

　Ⓑ **それより**自分の単位のこと、心配したら？

　Ⓐ Yamada-san tte, erai ne. Arubaito shinagara seeseki yuushuu nanda mon.
　Ⓑ Hokano hito o homeru nowa ii kedo….
　Ⓐ Kedo, naani?
　Ⓑ **Soreyori** jibun no tan'i no koto, shinpai shitara?

Ⓐ Isn't Yamada-san amazing? She has good grades while also working a part-time job.
Ⓑ I'm not going to fault you for praising other, but...
Ⓐ But what?
Ⓑ More importantly, why don't you worry about your own grades?

Ⓐ 山田真了不起啊！一边打工成绩又很优秀。
Ⓑ 表扬别人可以，不过…。
Ⓐ 不过什么？
Ⓑ 先担心担心自己的学分吧。

85

45 それなら、すぐにでも就職活動始めたほうがいいよ

Sorenara, sugu ni demo shuushoku katsudoo hajimeta hoo ga ii yo

(In that case, you should start job-hunting as soon as you can ／那么应该马上开始活动找工作啊)

それなら／それだったら／なら／だったら　　In that case 那样的话

Ⓐ 留学はやめて、就職することにした。
Ⓑ **それなら**、すぐにでも就職活動始めたほうがいいよ。
Ⓐ そうだね。

Ⓐ *Ryuugaku wa yamete, shuushoku suru koto ni shita.*
Ⓑ *Sorenara, sugu ni demo shuushoku katsudoo hajimeta hoo ga ii yo.*
Ⓐ *Soo da ne.*

Ⓐ I decided to not study abroad and get a job instead.
Ⓑ In that case, you should start job-hunting as soon as you can.
Ⓐ You're right.

Ⓐ 取消留学，决定就职了。
Ⓑ 那么应该马上开始活动找工作啊。
Ⓐ 是啊。

意味・使う場面　相手の話を聞いて、問題の解決や内容の改善のために意見や提案、質問などをするときに使います。

Used when offering an opinion, suggestion, or question in order to solve a problem or improve a situation after hearing someone say something.

用于听了对方的话后，为解决问题、改善内容而提出的意见、提案、提问等。

基本パターン　［相手の話］＋**それなら**／それだったら／なら／だったら＋［文（意見・提案・質問）］

会話練習

PART2 ●目的別でとらえる基本表現

1 Ⓐ この間のカレーの店、私にはちょっと辛すぎた。
Ⓑ **それなら**、また別のおいしいカレーのお店にご案内しますよ。
Ⓐ そのうちね。

Ⓐ That curry store the other day was a little too spicy for me.
Ⓑ In that case, I can take you to a different good curry store.
Ⓐ Sooner or later.

Ⓐ 上次去的咖喱店，对我来说有点儿太辣了。
Ⓑ 那样的话，下次再给你介绍别的好吃的咖喱店吧。
Ⓐ 到时候再说吧。

Ⓐ Kono aida no karee no mise, watashi niwa chotto karasugita.
Ⓑ **Sorenara**, mata betsuno oishii karee no omise ni goannai shimasu yo.
Ⓐ Sonouchi ne.

2 Ⓐ 体重、減らさなくちゃ。
Ⓑ **それだったら**、駅前にできたジムがよさそうだよ。
Ⓐ そう。じゃ、行ってみようかなあ

Ⓐ I need to lose weight.
Ⓑ In that case, it sounds like the gym they opened in front of the station is good.
Ⓐ Oh. Then maybe I'll try going.

Ⓐ 体重得减了。
Ⓑ 那，车站前开业的健身中心好像不错啊。
Ⓐ 是吗。那去看看吧。

Ⓐ Taijuu, herasakucha.
Ⓑ **Soredattara**, ekimae ni dekita jimu ga yosasoo da yo.
Ⓐ Soo. Ja, itte miyoo kanaa.

3 Ⓐ どうしよう。報告書間に合わない。
Ⓑ いつが期限？
Ⓐ 来週。資料はあるけど、まとめるのが大変。
Ⓑ **だったら**、青木さんに手伝ってもらうといいよ。

Ⓐ What should I do? My report won't be done in time.
Ⓑ When is it due?
Ⓐ Next week. I have the materials, but summarizing them is too hard.
Ⓑ In that case, you should try asking Aoki-san for help.

Ⓐ 怎么办，报告来不及了。
Ⓑ 提交期限什么时候？
Ⓐ 下周。手头有资料，可归纳起来很难啊。
Ⓑ 那个你可以找青木帮忙。

Ⓐ Doo shiyoo. Hookokusho mani awanai.
Ⓑ Itsu ga kigen?
Ⓐ Raishuu. Shiryoo wa aru kedo, matomeru no ga taihen.
Ⓑ **Dattara**, Aoki-san ni tetsudatte morau to ii yo.

46 そうじゃなくて、電球が1つ切れてるんだ

Soo ja nakute, denkyuu ga hitotsu kireteru n da
(It's not that, one of the light bulbs is out ／不是的，是灯泡坏了一个)

そうじゃなくて　　　It's not that
　　　　　　　　　　不是

Ⓐ この部屋、暗いね。わざとそうしてるの？
Ⓑ <u>そうじゃなくて</u>、電球が1つ切れてるんだ。
Ⓐ 電球ぐらい、さっさと買いなよ。

Ⓐ *Kono heya, kurai ne. Wazato soo shiteru no?*
Ⓑ <u>*Soo ja nakute*</u>, *denkyuu ga hitotsu kireteru n da.*
Ⓐ *Denkyuu gurai, sassato kaina yo.*

Ⓐ This room is dark. Is that on purpose?
Ⓑ It's not that, one of the light bulbs is out.
Ⓐ You should at least buy light bulbs on time.

Ⓐ 这房间太暗了。故意的？
Ⓑ 不是的，是灯泡坏了一个。
Ⓐ 就那个灯泡，赶紧去买吧。

意味・使う場面　相手が推測や判断をしたことについて、（また、それを確認しようと聞いてきたことについて）それを否定するときに使います。

Used to deny a guess or judgment made by someone else (or a question they ask in order to confirm their guess or judgment).

用于否定对方推测、判断的事（或者听来的想要确认的事）。

基本パターン　［相手の推測・判断］＋ <u>**そうじゃなくて**</u> ＋［文（説明）］

会話練習

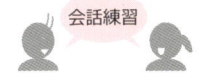

PART2 ●目的別でとらえる基本表現

1 Ⓐ 彼、就職しないんだって。
Ⓑ じゃ、大学院？ …ああ、留学か。
Ⓐ **そうじゃなくて**、1年間海外でボランティア活動したいんだって。

Ⓐ Kare, shuushoku shinai n datte.
Ⓑ Ja, daigakuin? ...Aa, ryuugaku ka.
Ⓐ *Soo ja nakute*, 1-nenkan kaigai de boranthia katsudoo shitai n datte.

Ⓐ I hear he's not going to join the workforce.
Ⓑ So he's going to graduate school? ...Oh, he's studying abroad?
Ⓐ It's not that, he says he wants to spend a year volunteering overseas.

Ⓐ 听说他不就职。
Ⓑ 那,考研？ 还是留学？
Ⓐ 都不是,听说他想去海外做一年的志愿活动。

---

2 Ⓐ 最近、朝、起きられなくて困る。
Ⓑ 夜更かしするからじゃない？
Ⓐ **そうじゃなくて**、早く寝てもなかなか眠れないんだ。

Ⓐ Saikin, asa, okirarenakute komaru.
Ⓑ Yofukashi suru kara ja nai?
Ⓐ *Soo ja nakute*, hayaku netemo nakanaka nemurenai n da.

Ⓐ I've been having trouble lately because I can't wake up in the mornings.
Ⓑ Isn't that because you've been staying up late?
Ⓐ It's not that, I can't get much sleep even if I go to bed early.

Ⓐ 最近为早上起不来而犯愁。
Ⓑ 是不是熬夜了？
Ⓐ 不是,早睡也很难睡得着。

---

3 Ⓐ 私は電車の中では本を読まないことにしてる。
Ⓑ 目に悪いから？
Ⓐ **そうじゃなくて**、夢中になって乗り過ごすから。

Ⓐ Watashi wa densha no naka dewa hon o yomanai koto ni shiteru.
Ⓑ Me ni warui kara?
Ⓐ *Soo ja nakute*, muchuu ni natte nori sugosu kara.

Ⓐ I try not to read books inside the train.
Ⓑ Because it's bad for your eyes?
Ⓐ It's not that, I get too engrossed in them that I miss my stop.

Ⓐ 我在电车里不看书。
Ⓑ 是因为对眼睛不好？
Ⓐ 不是,是因为太专心了会坐过站。

⑤間をとる　47〜50

47　えーっと、ちょっと待ってよ、今言うから

Eetto, chotto matte yo. Ima iu kara
(Um, hold on a second, I'll tell you／那个啊！等一下，我现在说给你听)

えーっと　　Um　唉

Ⓐ で、それから、どうなったの？
Ⓑ **えーっと**、ちょっと待ってよ、今言うから。
Ⓐ 早く。

Ⓐ So, what happened after that?
Ⓑ Um, hold on a second, I'll tell you.
Ⓐ Hurry up.

Ⓐ 那，后来怎么样了？
Ⓑ 那个啊，等一下，我现在说给你听。
Ⓐ 快点啊！

Ⓐ *De, sorekara, doo natta no?*
Ⓑ *Eetto, chotto matte yo. Ima iu kara.*
Ⓐ *Hayaku.*

意味・使う場面　説明などの途中で、いい言葉が出てこなくなったときなど、間に休みを入れるために使う言葉です。

A word used to insert a pause in the middle of an explanation because finding the right words is difficult.

说明途中想不出什么好词，或说话中略加休息时使用。

基本パターン	（答えや説明を求められて）**えーっと**

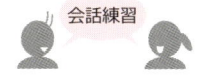

会話練習

1
Ⓐ 例の件、社長に言ってくれたんでしょう？ どんな反応だった？
Ⓑ ああ、あれね。いろいろ言われたよ。**えーっと**…。
Ⓐ 何？　何て言われたの？

Ⓐ You told the company president about that thing, right? How did he react?
Ⓑ Oh, that. He said a lot of things. Um…
Ⓐ What? What did he say?

Ⓐ 那件事跟社长说了吗？
Ⓑ 啊,那件事啊。社长说了很多啊。哎－。
Ⓐ 什么？　都说什么了？

Ⓐ *Ree no ken, shachoo ni ittekureta n deshoo? Donna hannoo datta?*
Ⓑ *Aa, are ne. Iroiro iwareta yo.* **Eetto**….
Ⓐ *Nani? Nante iwareta no?*

2
Ⓐ 結局、いくらの損になったんですか。
Ⓑ **えーっと**、それがはっきりとは言えないんです。
Ⓐ でも、損害は損害なんですね。

Ⓐ How much did you end up losing in the end?
Ⓑ Um, I can't say for certain.
Ⓐ But a loss is a loss.

Ⓐ 结果，损失了多少？
Ⓑ 哎－，那还说不准。
Ⓐ 不过，损失是损失了吧。

Ⓐ *Kekkyoku, ikura no son ni natta n desu ka.*
Ⓑ **Eetto**, *sore ga hakkiri to wa ienai n desu.*
Ⓐ *Demo, songai wa songai nan desu ne.*

3
Ⓐ それ、報告書のどこに書いてあるの？
Ⓑ 終わりのほうにあるんですが。**えーっと**…。
Ⓐ 何ページだか言ってよ。
Ⓑ はい。ちょっとお待ちください。

Ⓐ Where does it say that in the report?
Ⓑ It's toward the end. Um…
Ⓐ Tell me what page.
Ⓑ Okay, please wait a moment.

Ⓐ 那个，写在报告书的什么地方？
Ⓑ 在结尾的地方。哎…。
Ⓐ 说一下是第几页？
Ⓑ 好的，请稍等。

Ⓐ *Sore, hookokusho no doko ni kaitearu no?*
Ⓑ *Owari no hoo ni aru n desu ga.* **Eetto**….
Ⓐ *Nan peeji da ka itte yo.*
Ⓑ *Hai. Chotto omachi kudasai.*

48 そのう…鍵をなくしちゃって…

Sonoo…kagi o nakushichatte
（Well... I lost the key... ／ 那个…是钥匙弄丢了…）

| そのう | Well...
那个… |

Ⓐ こないだ借りたスーツケース、返すのちょっと待ってくれる？
Ⓑ 別に急がないからいいけど、なんで？
Ⓐ そのう…鍵をなくしちゃって…。今作らせてるんだ。
Ⓑ なんだ。鍵は予備があるから、作らなくてもよかったのに。

Ⓐ Could you wait a little longer for me to return that suitcase I borrowed?
Ⓑ I'm in no rush, but why?
Ⓐ Well... I lost the key... So I'm having them make a new one.
Ⓑ Oh. I have a spare key, so you didn't need to do that.

Ⓐ 上次从你那儿借的旅行箱，再等一等还给你行吗？
Ⓑ 不着急，怎么了？
Ⓐ 那个…是钥匙弄丢了…。现在正在配。
Ⓑ 是这么回事啊！钥匙有预备的，早说就不用配了。

Ⓐ *Konaida karita suutsukeesu, kaesuno chotto mattekureru?*
Ⓑ *Betsuni isoganai kara ii kedo, nande?*
Ⓐ *Sonoo…kagi o nakushichatte. ima tsukuraseteru n da.*
Ⓑ *Nanda. Kagi wa yobi ga aru kara, tsukuranakute mo yokatta noni.*

意味・使う場面
説明の途中でいい言葉が出てこなくなったときなど、話を続けるために休みをいれるのに使う言葉です。

A word used to continue a conversation after not being able to find the right word during an explanation.

说明途中想不出什么好词，略加思考使说话持续下去时使用。

基本パターン
（説明を求められて）**そのう** ＋ ［文（言いにくいこと・表現が難しいこと）］

会話練習

1
Ⓐ どうして期限に間に合わないんですか。
Ⓑ はあ、**そのう**…担当の社員が急病で倒れまして、それで…。
Ⓐ それは大変ですね。でも、できるだけ急いでください。

Ⓐ Dooshite kigen ni maniawanai n desu ka.
Ⓑ Haa, **sonoo**…tantoo no shain ga kyuubyoo de taoremashite, sore de….
Ⓐ Sore wa taihen desu ne. Demo, dekirudake isoide kudasai.

Ⓐ Why weren't you able to make it in time?
Ⓑ Ah, well... The employee responsible for it was suddenly bedridden with an illness, and...
Ⓐ I'm sorry to hear that. But please have it ready as soon as possible.

Ⓐ 为什么赶不上期限？
Ⓑ 那个，那个负责的员工突然病倒了，所以…。
Ⓐ 那可麻烦了。不过，要尽抓紧时间赶出来。

2
Ⓐ ここ、意味がよく通じないよ。
Ⓑ **そのう**…あとで詳しく説明してあるんですが。
Ⓐ 先を読まなくてもわかるように書かなくちゃ、困るよ。
Ⓑ はい。申し訳ありません。

Ⓐ Koko, imi ga yoku tsuujinai yo.
Ⓑ **Sonoo**…ato de kuwashiku setsumee shitearu n desu ga.
Ⓐ Saki o yomanakutemo wakaru yoo ni kakanakucha, komaru yo.
Ⓑ Hai. Mooshiwake arimasen.

Ⓐ This part doesn't get its meaning across very well.
Ⓑ Well... I explain it in more detail later.
Ⓐ You need to write it so that it makes sense without having to read further along.
Ⓑ Okay. I'm sorry.

Ⓐ 这儿，意思不太通啊。
Ⓑ 那个…过会儿再详细说明。
Ⓐ 要写成后面不用读就能明白那样才行啊！
Ⓑ 好的，实在对不起。

3
Ⓐ 最初からもう一度説明してくれ。
Ⓑ はい。**そのう**…。
Ⓐ よく考えてからでいいよ。

Ⓐ Saisho kara moo ichido setsumee shitekure.
Ⓑ Hai. **Sonoo**….
Ⓐ Yoku kangaete kara de ii yo.

Ⓐ Explain it to me again from the beginning.
Ⓑ Okay. Well...
Ⓐ You can take your time to think about it first.

Ⓐ 从头再说明一遍。
Ⓑ 好的，那个…。
Ⓐ 想好了再说。

49 まあ、食べられないことはないけど

Maa, taberarenai koto wa nai kedo
(Well, it's not like it's inedible ／啊、不是不能吃啊)

| まあ／ま | Well 啊 |

Ⓐ だいぶ焦げちゃったんだけど、大丈夫？
Ⓑ **まあ**、食べられないことはないけど。
Ⓐ ごめんなさい。

Ⓐ It got pretty burnt, is it okay?
Ⓑ Well, it's not like it's inedible.
Ⓐ I'm sorry.

Ⓐ 有些糊了，不要紧吗？
Ⓑ 啊，不是不能吃啊。
Ⓐ 对不起。

Ⓐ Daibu kogechatta n dakedo, daijoobu?
Ⓑ Maa, taberarenai koto wa nai kedo.
Ⓐ Gomennasai.

意味・使う場面

不満はあるが賛成するなど、譲歩を示すときに使います。全面的に「はい」とはっきり言いにくい場合の返事に使われます。

Used to indicate compromise when you are dissatisfied with something but accepting of it. Used when it's hard to unreservedly say "yes" to something.

用于虽然有点儿不满，但表示赞成。整体上不能像「はい」回答得那么明确。

基本パターン　（多少の不満がある状況について）**まあ／ま**＋[文（譲歩）]

会話練習

PART2 ●目的別でとらえる基本表現

1 🅐 今度入った高橋君、仕事ぶり、どう？
🅑 **まあ**、まじめには働いてるんですが、仕事がちょっと遅くて…。
🅐 遅くてもミスがなければいいよ。

🅐 Kondo haitta Takahashi-kun, shigoto buri, doo?
🅑 *Maa*, majime niwa hataraiteru n desu ga, shigoto ga chotto osoku te….
🅐 Osoku temo misu ga nakereba ii yo.

🅐 How's Takahashi-kun's work after he joined?
🅑 Well, he's a diligent worker, but he's a little slow...
🅐 It's okay if he's slow, just as long as he doesn't mess up.

🅐 这次进来得高桥，工作干得怎么样？
🅑 啊，倒是干得挺认真的，就是干得有点儿慢…。
🅐 慢点儿没关系，只要不出错就行。

---

2 🅐 先行きが不透明だということですか。
🅑 **まあ**、そう言えばそうなんですが。
🅐 じゃ、今回はこの計画、見送りましょうか。

🅐 Sakiyuki ga futoomee da to iu koto desu ka.
🅑 *Maa*, soo ieba soo nan desu ga.
🅐 Ja, konkai wa kono keekaku, miokurimashoo ka.

🅐 Does this mean that the future is unclear?
🅑 Well, I suppose it does.
🅐 In that case, let's put this plan aside for now.

🅐 你是说前景不透明是吧？
🅑 啊，可以那么说。
🅐 那，这次还是取消这个计划吧。

---

3 🅐 あ、ここ、打ち間違えてる。
🅑 ペンで直しておけば？
🅐 **まあ**、いいか。提出時間に遅れるといけないからね。
🅑 そうそう。あの先生、時間に厳しいから。

🅐 A, koko, uchi machigaeteru.
🅑 Pen de naoshiteokeba?
🅐 *Maa*, iika. Teeshutsu jikan ni okureru to ikenai kara ne.
🅑 Soosoo. Ano sensee, jikan ni kibishii kara.

🅐 Oh, this is mistyped.
🅑 Why don't you just correct it in pen?
🅐 I guess that's fine. I wouldn't want to turn this in late.
🅑 That's right. That teacher is very strict about time.

🅐 啊！这儿打错了。
🅑 用笔修改一下？
🅐 啊，可以啊。因为不能提交晚了啊。
🅑 是啊。那个老师对时间要求得特别严。

50 そうですね、ちょっと厳しいかもしれませんね

Soo desu ne, chotto kibishii kamo shiremasen ne.
（Yes, maybe they're too difficult ／是啊，也许有点儿紧）

そうですね	Yes / That's right 是啊

Ⓐ この予定、少しきついんじゃない？
Ⓑ **そうですね**、ちょっと厳しいかもしれませんね。
Ⓐ これだとついていけない人が出る恐れがあるよ。

Ⓐ *Kono yotee, sukoshi kitsui n ja nai?*
Ⓑ ***Soo desu ne**, chotto kibishii kamo shiremasen ne.*
Ⓐ *Kore dato tsuiteikenai hito ga deru osore ga aru yo.*

Ⓐ Aren't these plans a little tough?
Ⓑ Yes, maybe they're too difficult.
Ⓐ I'm afraid that some people won't be able to keep up with this.

Ⓐ 这个预定有点儿紧张吧。
Ⓑ 是啊，也许有点儿紧。
Ⓐ 这样的话，担心有人会吃不消的。

意味・使う場面

話の途中でちょっと間を置いて考えるときに使います。相手の意見に賛成するときの「そうですね」ははっきりした調子で言いますが、この「そうですね」は少し声を低くして言います。

Used to place a short pause in the middle of a conversation. Said in a firm manner when agreeing with something that has been said, but in this case, it is said in a slightly quieter tone.

用于说话途中略加点儿思考时间。表示赞同对方意见时，用清楚的语调说「そうですね」，语尾音调要降低。

基本パターン　［文］＋ **そうですね** ＋［文（意見・考え）］

会話練習

PART2 ●目的別でとらえる基本表現

1
Ⓐ 一応返事を延ばして、もう一回内部で検討しようか。
Ⓑ **そうですね**。すぐ断ってしまうのは損かもしれませんから。
Ⓐ じゃ、2、3日延ばしておいて検討を始めよう。

Ⓐ Why don't you put off your reply and look into it internally one more time.
Ⓑ Yes, it may be bad to say no immediately.
Ⓐ Then hold off for two or three days and start looking into it.

Ⓐ 总之先拖延回复，再在内部讨论一下吧。
Ⓑ 是啊。马上拒绝的话也许会有损失。
Ⓐ 那么，拖延两三天开始研究研究。

Ⓐ *Ichioo henji o nobashite, moo ikkai naibu de kentoo shiyoo ka.*
Ⓑ ***Soo desu ne**, Sugu kotowatte shimau no wa son kamoshiremasen kara.*
Ⓐ *Ja, 2,3 nichi nobashite oite kentoo o hajimeyoo.*

2
Ⓐ 出来上がり、こんなもんでいいかな？
Ⓑ ちょっと拝見。**そうですね**、これでいいでしょう。
Ⓐ そう？ じゃ、OKにしよう。

Ⓐ Is this suitable for a finished product?
Ⓑ Let me take a look. Yes, this is fine.
Ⓐ Really? Then I'll say it's okay.

Ⓐ 做好了，这样行吗？
Ⓑ 让我看看。嗯，这样可以啊。
Ⓐ 是吗？ 那么就OK了。

Ⓐ *Dekiagari, konna mon de ii kana?*
Ⓑ *Chotto haiken. **Soo desu ne,** kore de ii deshoo.*
Ⓐ *Soo? Ja, ookee ni shiyoo.*

3
Ⓐ エアコンの修理、どれくらいかかりますか。時間のことです。
Ⓑ えーと…。今修理の注文が多いんですよ。
Ⓐ そうでしょうね、この時期だから。
Ⓑ **そうですね**…やっぱり1週間は見といてください。

Ⓐ About how long will it take to fix the air conditioning?
Ⓑ Umm... We have a lot of repair requests at the moment.
Ⓐ I would think so, considering the time of the year.
Ⓑ Yes... I would assume a week.

Ⓐ 空调的修理要多少时间？
Ⓑ 唉—，现在修理的预约不少啊。
Ⓐ 一定是啊。这个时期嘛。
Ⓑ 是啊。还是照一个星期吧。

Ⓐ *Eakon no shuuri, dorekurai kakarimasu ka. Jikan no koto desu.*
Ⓑ *Eeto…. Ima shuuri no chuumon ga ooi n desu yo.*
Ⓐ *Soo deshoo ne, kono jiki dakara.*
Ⓑ ***Soo desu ne**…. yappari isshuukan wa mitoite kudasai.*

⑥ 軽く否定する　51〜55

51　そんなことない。

Sonna koto nai.
(That's not true. I can read it fine ／没事的，能看懂的)

そんなことない　　That's not true
　　　　　　　　　哪有啊

Ⓐ これじゃだめですよね。書き直します。
Ⓑ **そんなことない**。ちゃんと読めるよ。
Ⓐ そうですか。

Ⓐ This must be no good. I'll rewrite it.
Ⓑ That's not true. I can read it fine.
Ⓐ Is that so?

Ⓐ 就这样可不行啊。我得重新写一下。
Ⓑ 没事的，能看懂的。
Ⓐ 是吗

Ⓐ *Kore ja dame desu yo ne. Kaki naoshimasu.*
Ⓑ ***Sonna koto nai**. Chanto yomeru yo.*
Ⓐ *Soo desu ka.*

意味・使う場面

相手の意見を軽く否定し、そのあとに自分の考えを言うときに使います。強い調子でなく、あとに文が続くことを感じさせるように、穏やかな調子で言います。相手を励ましたり、慰めたりするのに使うことが多いです。

Used to softly deny what someone has said before adding your own opinion. Said gently so that it is clear that something will follow.

用于轻微地否定对方地意见，然后说出自己的意见。不是很强的语气，使人能感觉到会话还在继续,语气很温和。

基本パターン　［相手の話］＋ **そんなことない** ＋［文（自分の考え、事実）］

会話練習　PART2 ●目的別でとらえる基本表現

1 Ⓐ この間の写真、できたけど、あまりよくないんだ。
　Ⓑ **そんなことない**。楽しそうに写ってるじゃない？
　Ⓐ でも、田中さんの顔、前の人の陰になっちゃってるでしょう？
　Ⓑ まあ、そうだけど、そんなに気にならないよ。

Ⓐ Kono aida no shashin, dekita kedo, amari yokunai n da.
Ⓑ **Sonna koto nai**. Tanoshisoo ni utsutteru ja nai?
Ⓐ Demo, Tanaka-san no kao, mae no hito no kage ni nacchatteru deshoo?
Ⓑ Maa, soo da kedo, sonna ni ki ni naranai yo.

Ⓐ The photos from the other day came out, but they aren't very good.
Ⓑ That's not true. We're having fun in them, aren't we?
Ⓐ But your face is casting a shadow over the person in front of you, isn't it, Tanaka-san?
Ⓑ Well, that may be true, but it doesn't bother me too much.

Ⓐ 上次的照片出来了，照得不太好啊。
Ⓑ 哪有啊。不是照得挺开心的吗？
Ⓐ 可是，田中的脸被前面的人给挡住了不是？
Ⓑ 啊，是啊，不过，不会那么介意的。

2 Ⓐ この前、これ着ていると老けて見えるって言われた。
　Ⓑ **そんなことない**よ。似合ってるし、いいと思う。
　Ⓐ やっぱり、着るのやめる。

Ⓐ Kono mae, kore kiteiru to fukete mieru tte iwareta.
Ⓑ **Sonna koto nai** yo. Niatterushi, ii to omou.
Ⓐ Yappari, kiru no yameru.

Ⓐ Someone told me the other day that I look old when I war this.
Ⓑ That's not true. It looks good on you, I like it.
Ⓐ I don't think I'm going to wear it, after all.

Ⓐ 上次穿这件被说看上去太老！
Ⓑ 哪有啊！挺合适的，我觉得不错啊。
Ⓐ 还是不穿了。

52 違いますよ
Chigaimasu yo
(It's not ／不是啊)

(それは) 違う
No ／ It's not
不是

- Ⓐ これ、石井さんのかばん？
- Ⓑ **違います**よ。私のはちゃんとここにあります。
- Ⓐ じゃ、誰のだろう。

- Ⓐ Kore, Ishii-san no kaban?
- Ⓑ **Chigaimasu yo**. Watashi no wa chanto koko ni arimasu.
- Ⓐ Ja, dare no daroo.

- Ⓐ Is this your bag, Ishii-san?
- Ⓑ It's not. Mine is right there.
- Ⓐ I wonder whose it is, then.

- Ⓐ 这个，是石井的包？
- Ⓑ 不是啊。我的在这儿啊。
- Ⓐ 那，是谁的呢？

▶ 軽く否定するのに使います。直接的な表現なので強い反対のように聞こえるかもしれませんが、「いいえ」を軽くしたものです。

Used to lightly deny something. It may sound strong as it is a direct expression, but it is actually a lighter form of 「いいえ」.

用于轻微的否定。因为是直接表现。也许听起来有强烈反对的口气，其实是「いいえ」的轻度表现。

基本パターン: [相手の質問] + **違います** + [文（伝えたい事実）]

1
- Ⓐ 今度の集まりは来週ですね。
- Ⓑ **違います**。再来週です。
- Ⓐ あ、そうか。来週は休日ですね。

- Ⓐ Kondo no atsumari wa raishuu desu ne.
- Ⓑ **Chigaimasu**. Saraishuu desu.
- Ⓐ A, sooka. Raishuu wa kyuujitsu desu ne.

- Ⓐ The next gathering is next week, right?
- Ⓑ No, it's the week after next.
- Ⓐ Oh, that's right. Next week is a holiday.

- Ⓐ 这次聚会是下周吧。
- Ⓑ 不是，是大下周。
- Ⓐ 啊，是吗。下周是休息日。

2
- Ⓐ 税務署に出すのはこの書類？
- Ⓑ **違う**。こっちだよ。よく見て。
- Ⓐ あ、そう。

- Ⓐ Zeemusho ni dasu nowa kono shorui?
- Ⓑ **Chigau**. Kocchi da yo. Yoku mite.
- Ⓐ A, soo.

- Ⓐ So I submit this form to the tax office?
- Ⓑ No. It's this one. Take a close look.
- Ⓐ Oh, you're right.

- Ⓐ 提交到税务署的是这个材料吗？
- Ⓑ 不是，是这份。你看好了！
- Ⓐ 啊，知道了。

53 いえ、次の角です

Ie, tsugi no kado desu.
(No, it's the next corner ／不是，是下个路口)

いえ
No
不是

- Ⓐ 佐藤さんのうち、ここで曲がるの？
- Ⓑ **いえ**、次の角です。
- Ⓐ わかった。けっこう遠いね。

- Ⓐ *Satoo-san no uchi, koko de magaru no?*
- Ⓑ *Ie, tsugi no kado desu.*
- Ⓐ *Wakatta. Kekkoo tooi ne.*

- Ⓐ Do you turn here to get to your home, Sato-san?
- Ⓑ No, it's the next corner.
- Ⓐ Okay. It's quite far, isn't it?

- Ⓐ 佐藤的家是在这儿拐吗？
- Ⓑ 不是，是下个路口。
- Ⓐ 知道了。还真挺远的。

▶ 軽く否定するのに使います。言い方にもよりますが「いいえ」より短く、軽い感じで言います。

Used to lightly deny something. While it also depends on how it is said, it is generally said shorter and more lightly than「いいえ」.

用于轻微的否定。比「いいえ」短，给人的感觉很轻。

基本パターン　［相手の質問や提案］＋ **いえ** ＋［文］

1
- Ⓐ 遅くなったから家まで送っていこうか。
- Ⓑ **いえ**、大丈夫です。駅の近くですから。
- Ⓐ そう。じゃ、気をつけて。

- Ⓐ *Osokunatta kara ie made okutteikoo ka.*
- Ⓑ *Ie, daijoobu desu. Eki no chikaku desu kara.*
- Ⓐ *Soo. Ja, ki o tsukete.*

- Ⓐ It's gotten late, shall I take you home?
- Ⓑ No, it's fine. I'm close to the station.
- Ⓐ Oh. Be careful, then.

- Ⓐ 太晚了，送你回家吧。
- Ⓑ 不用，不要紧，就在车站附近。
- Ⓐ 是吗。那，小心点儿！

2
- Ⓐ もう少し飲まない？
- Ⓑ **いえ**、もうだいぶいただきました。
- Ⓐ そうか…。ま、あんまり勧めると嫌われるから、やめとこう。

- Ⓐ *Moo sukoshi nomanai?*
- Ⓑ *Ie, moo daibu itadakimashita.*
- Ⓐ *Sooka…. Ma, anmari susumeru to kirawareru kara, yametokoo.*

- Ⓐ Would you like a little more to drink?
- Ⓑ No, I've already had quite a lot.
- Ⓐ I see... Well, I wouldn't want you disliking me for being too pushy, so I won't keep asking.

- Ⓐ 不再喝点儿吗？
- Ⓑ 不了，已经喝了不少了。
- Ⓐ 是吗。那，再劝你喝会被你烦的，那就不劝了。

54 いえいえ、それは恐縮です

Ieie, sore wa kyooshuku desu
(Oh no, I couldn't possibly ask you to／不用不用，那太给您添麻烦了)

いえいえ　　　　　　　Not at all ／ Oh no
　　　　　　　　　　　哪里哪里

Ⓐ じゃ、当日はお宅までお迎えに上がります。
Ⓑ **いえいえ**、それは恐縮です。
Ⓐ どうぞご遠慮なく。

Ⓐ Ja, toojitsu wa otaku made omukae ni agarimasu.
Ⓑ **Ieie**, sore wa kyooshuku desu.
Ⓐ Doozo, goenryonaku.

Ⓐ Then I'll come to your home to get you on the day of.
Ⓑ Oh no, I couldn't possibly ask you to.
Ⓐ No need to be modest.

Ⓐ 那，那天去您府上接您。
Ⓑ 不用不用，那太给您添麻烦了。
Ⓐ 请不必客气

▶ 相手の意見に反対であることを丁寧に伝えるのに使います。「いいえ」だけより遠慮がちな感じがします。

Used to politely convey that you are against an opinion someone has expressed. The phrase seems more modest and reserved than「いいえ」alone.

用于委婉地传达反对对方的意见。比只用「いいえ」更客气。

| 基本パターン | ［相手の質問や提案］＋ **いえいえ** ＋［文］ |

---

1 Ⓐ こんな出来上がりではご不満でしょうが…。
　Ⓑ **いえいえ**、なかなかよくできています。
　Ⓐ そうですか。ありがとうございます。

Ⓐ Konna dekiagari dewa gofuman deshoo ga….
Ⓑ **Ieie**, nakanaka yoku dekiteimasu.
Ⓐ Soo desu ka. Arigatoo gozaimasu.

Ⓐ Are you displeased with how it turned out...?
Ⓑ Not at all, it's quite well done.
Ⓐ Is that so. Thank you.

Ⓐ 做成这样您是不是不满意啊…。
Ⓑ 哪里哪里，做得很好啊。
Ⓐ 是吗。谢谢！

---

2 Ⓐ これくらいのお礼しかできなくて、すみません。
　Ⓑ **いえいえ**、十分ですよ。
　Ⓐ 恐れ入ります。

Ⓐ Kore kurai no oree shika dekinakute, sumimasen.
Ⓑ **Ieie**, juubun desu yo.
Ⓐ Osore irimasu.

Ⓐ I'm sorry that these are all the thanks I can give you.
Ⓑ Not at all, you've done more than enough.
Ⓐ Thank you very much.

Ⓐ 只有这点儿表示，对不起。
Ⓑ 哪里哪里，已经够多的了。
Ⓐ 实在不好意思。

55 いやいや、うちからは割と近いんですよ

Iyaiya, uchi kara wa warito chikai n desu yo

(Not at all. I live quite close to here ／哪里哪里，我家离这儿比较近啊)

いやいや	Not at all 哪里哪里

Ⓐ お忙しいところ、ご足労をかけました。

Ⓑ **いやいや**、うちからは割と近いんですよ。

Ⓐ 恐れ入ります。

Ⓐ *Oisogashii tokoro, gosokuroo o kakemashita.*

Ⓑ *Iyaiya, uchi kara wa warito chikai n desu yo.*

Ⓐ *Osore irimasu.*

Ⓐ I'm sorry for troubling you when you were busy.
Ⓑ Not at all. I live quite close to here.
Ⓐ Thank you very much.

Ⓐ 白忙之中，老驾您跑一趟。
Ⓑ 哪里哪里，我家离这儿比较近啊。
Ⓐ 不好意思。

▶ 相手の意見を強く否定するのに使います。女性よりも男性が多く使います。丁寧ではないので、目上に対しては「いいえ」を使います。

Used to strongly deny someone's opinion. More often used by men than women. Not polite, so「いいえ」should be used in these situations to a superior.

用于强烈否定对方的意见。男性用的比女性多。不是客气的口气，对长辈要说「いいえ」。

基本パターン	［相手の話］+ **いやいや** +［文］

1. Ⓐ チケット、ありがとう。

   Ⓑ **いやいや**、もっといい席がとれればよかったんだけど。

   Ⓐ そんなことないよ。この試合が見られるだけで最高にうれしいから。

   Ⓐ *Chiketto, arigatoo.*
   Ⓑ *Iyaiya, motto ii seki ga torereba yokatta n da kedo.*
   Ⓐ *Sonna koto nai yo. Kono shiai ga mirareru dake de saikoo ni ureshii kara.*

   Ⓐ Thank you for the ticket.
   Ⓑ Not at all. I wish I could have gotten better seats.
   Ⓐ No, just being able to see this match made me as happy as I could be.

   Ⓐ 谢谢你的票！
   Ⓑ 不谢。能买到更好的座席就好了。
   Ⓐ 没有啊，能看到这场比赛再高兴不过了！

⑦ 話を終える

56～58

56 じゃ、そういうことで、今日は終わりにします

Ja, sooiu koto de, kyoo wa owari ni shimasu
(So with that, we're done for the day ／那么，今天的会就开到这儿吧)

そういうことで — So with that／那么

Ⓐ〈会議〉じゃ、そういうことで、今日は終わりにします。お疲れさまでした。

Ⓑ お疲れさまでした。今日はうまく話がまとまってよかったですね。

Ⓐ そうですね。

Ⓐ [Meeting] So with that, we're done for the day. Thank you all.
Ⓑ Thank you. I'm glad it all came together so well today.
Ⓐ Yes, so am I.

Ⓐ（开会）那么，今天的会就开到这儿吧，辛苦了。
Ⓑ 辛苦了。今天的会总结的不错啊。
Ⓐ 是啊。

Ⓐ <Kaigi> Ja, *sooiu koto de*, kyoo wa owari ni shimasu. Otsukaresama deshita.
Ⓑ Otsukaresama deshita. Kyoo wa umaku hanashi ga matomatte yokatta desu ne.
Ⓐ Soo desu ne.

意味・使う場面　話し合いが終わったときの表現としてよく使います。話し合われた内容を確認して、終わりをはっきりさせます。

Often used when a conversation comes to an end. Used to confirm what has been said and mark a concrete ending.

常用于谈话结束时。确认谈话内容，明确表示结束谈话。

基本パターン　（話し合いのあとで）**そういうことで**

会話練習

PART2 ●目的別でとらえる基本表現

1 Ⓐ 場所が田中さんのうちで、15日の6時から、*各自プレゼントを1つ*持参。**そういうことで**よかった？

Ⓑ うん。

Ⓐ じゃ、近くになったら、また確認しましょう。

Ⓐ *Basho ga Tanaka-san no uchi de, 15-nichi no 6-ji kara, kakuji purezento o hitotsu jisan.* ***Sooiu koto de** yokatta?*

Ⓑ *Un.*

Ⓐ *Ja, chikaku ni nattara, mata kakunin shimashoo.*

Ⓐ So we'll do it at Tanaka-san's home from 6 o'clock on the 15th, and each person will bring one present. Is that correct?

Ⓑ Yes.

Ⓐ Then I'll confirm one more time when the date gets closer.

Ⓐ 在田中家，15号6点开始，各自带一个礼物．这样可以吗？

Ⓑ 可以。

Ⓐ 那么，临近时再重新确认。

---

2 Ⓐ …**そういうことで**私は行けないけど、みんなで楽しんできて。

Ⓑ そうか…。残念だけど、しょうがないね。次は来てね。

Ⓐ もちろん。また声をかけて。

Ⓐ *…**Sooiu koto de** watashi wa ikenai kedo, minna de tanoshinde kite.*

Ⓑ *Sooka…. Zannen dakedo, shooganai ne. Tsugi wa kite ne.*

Ⓐ *Mochiron. Mata koe o kakete.*

Ⓐ So while I won't be going, I hope you all have fun.

Ⓑ I see... It's too bad, but it can't be helped. Please come next time.

Ⓐ Of course. Please let me know.

Ⓐ 所以呢我去不了，希望大家玩得开心。

Ⓑ 是吗…。太遗憾了，没办法，下次来啊！

Ⓐ 一定！ 下次再叫上我。

💡 MEMO **1** 各自：一人一人、それぞれ。
持参：必要な物を自分で持っていくこと。

105

57 大体以上です
Daitai ijoo desu
(That about does it ／大体上就是以上的内容)

以上です
that does it
就到这里了

Ⓐ …私からの説明は大体以上です。
Ⓑ じゃ、ちょっと質問させていただきます。
Ⓐ はい、どうぞ。

Ⓐ That about does it for my explanation.
Ⓑ Then allow me to ask a question.
Ⓐ Please, go ahead.

Ⓐ 我说明的大体上就是以上的内容。
Ⓑ 那，请允许我提问一下可以吗？
Ⓐ 好的，请！

Ⓐ …Watashi karano setsumee wa daitai ijoo desu.
Ⓑ Ja, chotto shitsumon sasete itadakimasu.
Ⓐ Hai, doozo.

▶ 報告などが一通り終わったときのやや改まった表現として使います。会議の場面などでよく使われます。

A somewhat formal expression used when a report or something similar has come to an end. Often used in meetings.

用于报告告一段落时再重新强调一下，常用于会议场合。

基本パターン　［文（説明・報告）］＋（大体）**以上です**

1. Ⓐ 報告はそれで終わりですか。
   Ⓑ はい、以上です。
   Ⓐ ご苦労様でした。じゃ、みんなに意見を聞いてみましょう。

   Ⓐ Is that all for your report?
   Ⓑ Yes, that does it.
   Ⓐ Good work. Let's hear everyone's opinions on it.

   Ⓐ 报告到此结束了吗？
   Ⓑ 是的。
   Ⓐ 辛苦了。那争求一下大家的意见吧。

   Ⓐ Hookoku wa sore de owari desu ka.
   Ⓑ Hai, ijoo desu.
   Ⓐ Gokuroosama deshita. Ja, minna ni iken o kiite mimashoo.

2. Ⓐ …私が知っているのは以上です。
   Ⓑ えーと、ちょっと聞いていいですか。
   Ⓐ どうぞ。あまり専門的なことはわかりませんが。

   Ⓐ ...And that does it for what I know.
   Ⓑ Um, may I ask a question?
   Ⓐ Go ahead, though I'm not much of an expert on the subject.

   Ⓐ 我知道的就是以上的内容。
   Ⓑ 唉一，可以请问一下吗？
   Ⓐ 请。太专业性的问题我不太清楚。

   Ⓐ …Watashi ga shitteiru no wa ijoo desu.
   Ⓑ Eeto, chotto kiite ii desu ka.
   Ⓐ Doozo. Amari senmontekina koto wa wakarimasen ga.

58 …そういうわけなんです

Sooiu wake nan desu
(...And that's how it is / And that's how it is ／事情就是这样的)

そういうわけです

Ⓐ …そういうわけなんです。
Ⓑ なるほど。事情はわかりました。やむを得ませんね。
Ⓐ ご了承いただければ助かります。

Ⓐ …*Sooiu wake nan desu*.
Ⓑ *Naruhodo. Jijoo wa wakarimashita. Yamu o emasen ne.*
Ⓐ *Go-ryooshoo itadakereba tasukarimasu.*

Ⓐ ...And that's how it is.
Ⓑ I see. I understand the situation now. I suppose there was nothing that could be done.
Ⓐ I would appreciate your understanding.

Ⓐ 事情就是这样的。
Ⓑ 嗯！怪不得呢！情况已经了解了，真是迫不得已啊。
Ⓐ 谢谢能给予理解。

▶ 複雑な事情の説明などが一通り終わったときの表現として使われます。
Used when finishing an explanation of a complicated situation.
用于解释完一件复杂的事情后。

基本パターン　[事情の説明] ＋ **そういうわけです**
そういうわけなので／だから＋［文（お願い・結論）］

1. Ⓐ **そういうわけ**なので、ご了承ください。
   Ⓑ わかりました。しょうがないですね。
   Ⓐ ご迷惑をおかけします。

   Ⓐ *Sooiu wake* nanode, go-ryooshoo kudasai.
   Ⓑ *Wakarimashita. Shooganai desu ne.*
   Ⓐ *Go-meewaku o okake shimasu.*

   Ⓐ And that's how it is. I hope you understand.
   Ⓑ All right. There's nothing that could be done.
   Ⓐ I apologize for the trouble.

   Ⓐ 事情就是这样的，请理解。
   Ⓑ 知道了。也是没办法啊！
   Ⓐ 给您添麻烦了。

2. Ⓐ **そういうわけ**だから、2、3日待ってくれる？
   Ⓑ まあ、仕方ないな。

   Ⓐ *Sooiu wake* dakara, 2,3 nichi mattekureru?
   Ⓑ *Maa, shikatanai na.*

   Ⓐ And that's how it is. Could you wait two or three days?
   Ⓑ I guess I have to.

   Ⓐ 情况就是这样的，能不能等两三天？
   Ⓑ 啊，没办法啊。

107

B 気持ちを表す ①安心・喜び　59〜60

59 よかったね
Yokatta ne
(That's wonderful ／太好了)

よかった　　　That's good. / That's wonderful.
　　　　　　　太好了

Ⓐ 山下さん、面接に合格したそうですよ。
Ⓑ **よかった**ね。
Ⓐ うん、これで就職が決まったって、喜んでました。

Ⓐ Yamashita-san, mensetsu ni gookaku shita soo desu yo.
Ⓑ **Yokatta** ne.
Ⓐ Un, kore de shuushoku ga kimatta tte, yorokondemashita.

Ⓐ I heard that Mr. Yamashita passed the interview.
Ⓑ That's wonderful.
Ⓐ Yes. Now he got a job and he is happy.

Ⓐ 山下听说通过面试了
Ⓑ 太好了！
Ⓐ 是啊！ 这样工作就定了，太高兴了。

意味・使う場面　よい知らせを聞いて喜びや安心する気持ちを表す表現です。現在のことでも「た」を使って「よかった」と言い、「いいです」は使いません。丁寧な話し方ではあとに「です」をつけます。

It expresses your happiness or relief after hearing good news. You use「yokatta (past tense)」, not「ii desu」even for talking about a present situation.「desu」is added for polite conversation.

中国語訳無し

基本パターン　（よい知らせを聞いて）**よかった**

会話練習

PART2 ●目的別でとらえる基本表現

1 🅐 株、また上がったんだね。
　🅑 うん、**よかった**よ。先週だいぶ損して、がっかりしてたんだ。
　🅐 株持ってると、毎日心配しなきゃなんないね。

　🅐 Kabu, mata agatta n da ne.
　🅑 Un, **yokatta** yo. Senshuu daibu son shite, gakkari shite ta n da.
　🅐 Kabu motteru to, mainichi sinpai shinakya nannai ne.

🅐 The stocks went up more, right?
🅑 Yes, this is wonderful. I was disappointed last week since I lost quite a lot.
🅐 When you have stocks, you have to worry every day, don't you?

🅐 株股票又涨了啊！
🅑 是啊！太好了！上周因损失不少还很灰心丧气了呢。
🅐 手里有股票每天都提心吊胆的。

2 🅐 課長、怒らなかった？
　🅑 いや、忙しいみたいで、特に何も言われなかった。
　🅐 わあ、**よかった**。ラッキー！

　🅐 Kachoo, okoranakatta?
　🅑 Iya, isogashii mitai de, tokuni nanimo iwarenakatta.
　🅐 Waa, **yokatta**. Rakkii!

🅐 Didn't the section chief get angry?
🅑 No, he looked busy and didn't say anything special.
🅐 Wow, good. Lucky us!

🅐 科长没发火？
🅑 没有，好像他很忙，没说什么。
🅐 那，太好了！真幸运啊！

3 🅐 足をけがされたそうですが、大丈夫ですか。
　🅑 ああ、大丈夫です。病院に行ってきましたけど、大したことなかったんです。
　🅐 **よかったです**ね。

　🅐 Ashi o kega sareta soo desu ga, daijoobu desu ka.
　🅑 Aa, daijoobu desu. Byooin ni ittekimashita kedo, taishita koto nakatta n desu.
　🅐 **Yokatta desu** ne.

🅐 I heard that you injured your legs. Are you all right?
🅑 Oh, I'm fine. I went to a hospital, but it was not a big deal.
🅐 Good.

🅐 听说你腿受伤了，不要紧吗？
🅑 啊！不要紧。去医院看了，没大事。
🅐 太好了！

109

60 助かった！
Tasukatta!
(Lucky me／太好了)

助かる — I'm saved.
太好了、帮了大忙

Ⓐ 明日の授業、先生が病気で休みだって。
Ⓑ うそ、やったー！**助かった！**
Ⓐ ああ、明日は発表する番だったんだ。

Ⓐ Tomorrow's class was canceled because the teacher got sick.
Ⓑ Really? Yay! Lucky me!
Ⓐ Oh, It was your turn to make a presentation tomorrow.

Ⓐ 听说明天的课因为老师生病停课。
Ⓑ 真的？太好了！
Ⓐ 啊！明天是该你发表的啊！

Ⓐ Ashita no jugyoo sensee ga byooki de yasumi datte.
Ⓑ Uso, yattaa! **Tasukatta!**
Ⓐ Aa, ashita wa happyoo suru ban datta n da.

意味・使う場面
運がよかったりして、問題が解決したときに使います。誰かが問題の解決を申し出てくれたときには「助かる」、解決してくれたときは「助かった」とお礼を言います。

It is used when problems are solved by luck. When somebody offers you help to solve your problems, use「tasukaru」and when they did solve your problems, use「tasukatta」to show them your appreciation.

用于走运、问题被解决时。请求谁帮忙时用「助かる」，之后说「助かった」表示感谢。

基本パターン: (問題が解決されたり負担が軽くなったりして) **助かった／助かる**

会話練習　　　　　　　　　　　　　　　PART2 ●目的別でとらえる基本表現

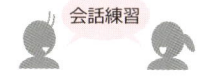

1 Ⓐ 店長が、今日はお店を早く閉めるから、帰ってもいいって。
　Ⓑ ほんと？ **助かった**よ。実は具合が悪くて早く帰りたかったんだ。
　Ⓐ そう。じゃ、すぐ帰るといいよ。

　Ⓐ Tenchoo ga, kyoo wa omise o hayaku shimeru kara, kaettemo ii tte.
　Ⓑ Honto? **Tasukatta** yo. Jitsuwa guai ga warukute hayaku kaeritakatta n da.
　Ⓐ Soo. Ja, sugu kaeru to ii yo.

　Ⓐ The manager said that we could go home, because he will close the store early today.
　Ⓑ Really? How lucky I am. Actually I feel sick and wanted to go home early.
　Ⓐ I see. Then you should go home now.

　Ⓐ 店长说今天早点儿关店，可以回去。
　Ⓑ 真的？太好了！今天有点儿不舒服，正想早点儿回去呢。
　Ⓐ 是吗。那可以马上回去了！。

2 Ⓐ 傘、余分がありますから、どうぞ。
　Ⓑ そうですか。**助かります**。
　Ⓐ それ、誰のかわかりませんから、ご遠慮なく。

　Ⓐ Kasa, yobun ga arimasu kara, doozo.
　Ⓑ Soo desu ka. **Tasukarimasu**.
　Ⓐ Sore, dare no ka wakarimasen kara, go-enryo naku.

　Ⓐ We have extra umbrellas. Please use them.
　Ⓑ Are you sure? It would be helpful.
　Ⓐ That one, we don't know whose it is. Please feel free.

　Ⓐ 雨伞有多余的，你拿去用吧。
　Ⓑ 是吗！那太帮大忙了！
　Ⓐ 那个不知道是谁的，不用客气。

3 Ⓐ ノート、ありがとう。
　Ⓑ あ、役に立った？
　Ⓐ うん、すごく**助かった**よ。

　Ⓐ Nooto, arigatoo.
　Ⓑ A, yaku ni tatta?
　Ⓐ Un, sugoku **tasukatta** yo.

　Ⓐ Thank you for your notebook.
　Ⓑ Oh, did it help?
　Ⓐ Yes, it was very helpful.

　Ⓐ 谢谢你的笔记。
　Ⓑ 啊，用得上吗？
　Ⓐ 嗯！真是帮了我大忙了！

② よくない状況 61～64

61 困ったなあ、計算が合わない
Komatta naa, keesan ga awanai
(I'm confused. It doesn't add up ／糟糕，总是算不对)

困った | I'm in trouble.
麻烦、为难、糟糕

Ⓐ <u>困った</u>なあ、計算が合わない。
Ⓑ 落ち着いて、もう一度やってみて。

Ⓐ *Komatta naa, keesan ga awanai.*
Ⓑ *Ochitsuite, moo ichido yatte mite.*

Ⓐ I'm confused. It doesn't add up.
Ⓑ Try to calm down and do it again.

Ⓐ 糟糕，总是算不对。
Ⓑ 别着急，再算一遍看看！

▶ 仕事などがうまく行かなくなったときに使います。「困った困った」と繰り返すこともあります。独り言のような表現ですが、目上の人に訴えるときなど、「困りました」と言うこともあります。

It is used when something like your job doesn't go well. You can repeat it, 「komatta, komatta」. It sounds like talking to yourself, but 「komarimashita」is sometimes used to tell your situation to your superior.

用于工作等不顺利时，有时也重复说「困った困った」。像是自言自语的表现，对长辈说时也用「困りました」。

基本パターン	（問題が起きて／解決しなくて）<u>困った</u>／<u>困った</u>なあ

1 Ⓐ 課長、<u>困りました</u>。
Ⓑ どうした、そんな顔して。
Ⓐ 田中さんが来月やめるって言うんです。

Ⓐ *Kachoo, komarimashita.*
Ⓑ *Doo shita, sonna kao shite.*
Ⓐ *Tanaka-san ga raigetsu yameru tte iu n desu.*

Ⓐ Chief, I'm in trouble.
Ⓑ What's wrong? You look awful.
Ⓐ Ms. Tanaka said that she would quit next month.

Ⓐ 科长，有点麻烦。
Ⓑ 怎么了？看你这张脸！
Ⓐ 田中说下个月辞职。

2 Ⓐ <u>困った</u>なあ。どうしよう。
Ⓑ 何か探してるの？
Ⓐ うん、報告書の資料。どっか行っちゃって。

Ⓐ *Komatta naa. Doo shiyoo.*
Ⓑ *Nani ka sagashiteru no?*
Ⓐ *Un, hookokusho no shiryoo. Dokka icchatte.*

Ⓐ I'm in trouble. What shall I do?
Ⓑ Are you looking for something?
Ⓐ Yeah, references for my report. They are missing.

Ⓐ 真糟糕！怎么办啊！
Ⓑ 你在找什么吗？
Ⓐ 嗯！报告的资料。不知哪儿去了。

62 まいったなあ

Maitta naa
(I'm in trouble ／真糟糕啊)

まいった
I'm in trouble.
糟糕

Ⓐ **まいった**なあ。先生の悪口言ってるところ、聞かれちゃったよ。
Ⓑ 学生多いから、先生、誰だか、わからないよ。
Ⓐ そうだといいんだけど。

Ⓐ I'm in trouble. When I was complaining about the teacher, he heard it.
Ⓑ He has so many students and doesn't know who you are.
Ⓐ I hope so.

Ⓐ 真糟糕啊，说老师坏话时被听到了。
Ⓑ 学生很多，老师不认识谁是谁啊！
Ⓐ 真是那样的话就好了。

Ⓐ *Maitta* naa. Sensee no waruguchi itteru tokoro, kikarechatta yo.
Ⓑ Gakusee ooi kara, sensee, dare daka, wakaranai yo.
Ⓐ Soo dato ii n dakedo.

▶ 「困った」とよく似ていますが、「まいった」は苦しい状態を客観的にとらえているような印象があります。

It is very similar to 「komatta」, but it gives an impression that you are looking at your troubles objectively.
与「困った」相似,「まいった」有种客观地强调苦境的语感。

基本パターン （困った状況になり）**まいった**（なあ）／**まいった、まいった**

1. Ⓐ **まいった、まいった**。
   Ⓑ どうしたんですか。
   Ⓐ 締切が1週間も早くなっちゃったよ。間に合うかなあ。

   Ⓐ *Maitta, maitta*.
   Ⓑ *Doo shita n desu ka.*
   Ⓐ *Shimekiri ga 1 shuukan mo hayaku nacchatta yo. Maniau kanaa.*

   Ⓐ I can't believe this.
   Ⓑ What happened?
   Ⓐ The deadline became one week earlier. I don't know if I can meet it.

   Ⓐ 糟了！糟了！
   Ⓑ 怎么了？
   Ⓐ 期限提前一周了，能来不及吗！

63 弱ったなあ
Yowatta naa
(I'm in trouble／怎么办好呢)

弱った — I'm in trouble.
这可怎么办啊

Ⓐ **弱った**なあ。
Ⓑ どうしたの？
Ⓐ 来週、外国からお客さんが来るんだけど、通訳を頼める人が見つからないんだ。

Ⓐ *Yowatta* naa.
Ⓑ *Doo shita no?*
Ⓐ *Raishuu, gaikoku kara okyakusan ga kuru n dakedo, tsuuyaku o tanomeru hito ga mitsukaranai n da.*

Ⓐ I'm in trouble.
Ⓑ What happened?
Ⓐ I will have a visitor from abroad next week, but I can't find a interpreter.

Ⓐ 怎么办好呢！
Ⓑ 怎么了？
Ⓐ 下周国外来客人，还没找到翻译呢！

意味・使う場面:「困った」とよく似ていますが、「弱った」は苦しい状態を強調しているという感じで使います。

It is very similar to「komatta」, but「yowatta」is used to emphasise the bad situation.
与「困った」很相似,「弱った」有强调处于苦境的语感。

基本パターン: （困った状況になり）**弱った**／**弱った**なあ

会話練習　　PART2 ●目的別でとらえる基本表現

1　Ⓐ **弱っちゃった**。
　　Ⓑ どうしたの？
　　Ⓐ 加藤も明日来られないって。これじゃ、試合できないよ。

　　Ⓐ *Yowacchatta*.
　　Ⓑ *Doo shita no?*
　　Ⓐ *Katoo mo ashita korarenai tte. Kore ja, shiai dekinai yo.*

Ⓐ We are in trouble.
Ⓑ What happened?
Ⓐ Mr. Kato is also not able to come tomorrow. We can't play the game like this.

Ⓐ 这可怎么办啊！
Ⓑ 怎么了？
Ⓐ 加藤说明也天来不了了。这样的话，就不能比赛了！

2　Ⓐ うーん、**弱った**。
　　Ⓑ どうしたの？
　　Ⓐ 田中さんに急いで頼まなければならないことがあるんだけど、電話もメールもつながらないんだよ。
　　Ⓑ そうなんだ。

　　Ⓐ *Uun, yowatta*.
　　Ⓑ *Doo shita no?*
　　Ⓐ *Tanaka-san ni isoide tanomanakerebanaranai koto ga aru n dakedo, denwa mo meeru mo tsunagaranai n da yo.*
　　Ⓑ *Soo nan da.*

Ⓐ We are in trouble.
Ⓑ What happened?
Ⓐ I have something to ask Ms. Tanaka as soon as possible, but I can reach her neither by email nor by phone.

Ⓐ 嗯，这可怎么办啊。
Ⓑ 怎么了？
Ⓐ 有急事要求田中，可是电话短信都联系不上啊！
Ⓑ 是吗！

64 どうしよう

Doo shiyoo
(I don't know what to do.／怎么办)

| どうしよう | I don't know what to do.
怎么办 |

Ⓐ <u>どうしよう</u>。彼、帰っちゃった。明日、代わってもらおうと思ってたのに。
Ⓑ ケータイで連絡とれないの？
Ⓐ それが彼、ケータイ置き忘れてるのよ。

Ⓐ I don't know what to do. He left. I wanted him to be my replacement tomorrow.
Ⓑ Can't you reach him by cell phone?
Ⓐ No, he left his phone here.

Ⓐ 怎么办啊。他回去了，明天还想请他来替我呢。
Ⓑ 给他打手机联系不上吗？
Ⓐ 他手机忘在这了呀！

Ⓐ *Doo shiyoo*. *Kare, kaecchatta. Ashita, kawatte moraoo to omotteta noni.*
Ⓑ *Keetai de renraku torenai no?*
Ⓐ *Sore ga kare, keetai oki wasureteru no yo.*

意味・使う場面

どうしたらいいかわからないという独り言のようですが、人に助けを求める気持ちを含むことも多いです。直接的に相談したり助言を求めたりするのに使うこともあります。

It sounds like saying to yourself that I don't know what to do, but many times it also shows that you are asking for help. You may use it to consult or ask somebody for advice more directly.

多用于不知道怎么办好时的自言自语，含有求助于人的口气。也用于直接商量，求别人出主意。

基本パターン

（問題の解決方法が見つからなくて）<u>どうしよう</u>

会話練習   PART2 ●目的別でとらえる基本表現

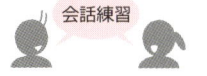

1　Ⓐ これじゃ、予算大幅オーバーだよ。
　　Ⓑ **どうしよう**。
　　Ⓐ いろいろカットして抑えるしかないよ。

　　Ⓐ Kore ja, yosan oohaba oobaa da yo.
　　Ⓑ **Doo shiyoo**.
　　Ⓐ Iroiro katto shite osaeru shikanai yo.

Ⓐ This will go far over the budget.
Ⓑ What shall we do?
Ⓐ We have to cut here and there to maintain the budget.

Ⓐ 这样的话预算就会超很多啊。
Ⓑ 怎么办啊。
Ⓐ 只有进行各种削减。

2　Ⓐ 何をそんなにあわててるんだ？
　　Ⓑ 店長、**どうしましょう**。さくら食品に注文するのを忘れてました。

　　Ⓐ Nani o sonna ni awateteru n da?
　　Ⓑ Tenchoo, **doo shimashoo**. Sakura shokuhin ni chuumon suru no o wasuretemashita.

Ⓐ Why are you panicking so much?
Ⓑ Store manager, what should we do? I forgot to order from The Sakura Food Company.

Ⓐ 干什么那么慌张？
Ⓑ 店长怎么办啊。忘了向樱花食品订货了。

③ 強調

65 また買いに来ればいいって

Mata kai ni kureba ii **tte**
(You could come back and buy more／再来买吧！) 〜って emphasis 重点

Ⓐ もう帰ろうよ。
Ⓑ ちょっと待って。あと、もう少し。
Ⓐ また買いに来ればいい**って**。

Ⓐ Let's go home now.
Ⓑ Please wait a second. Just a little more.
Ⓐ You could come back and buy more.

Ⓐ 快回去吧。
Ⓑ 等一下，马上就完。
Ⓐ 再来买吧。

Ⓐ Moo kaeroo yo.
Ⓑ Chotto matte. Ato, moo sukoshi.
Ⓐ Mata kai ni kureba ii **tte**

▶ 「〜ってば」と同じように使いますが、さらにくだけた感じで、親しい間で使われます。特に若い人に多い言い方です。

You use it like「〜 tte ba」, but it is more casual and used in close relationship. Especially young people tend to use it often.

与「〜ってば」用法相同且更有很随便的语感，关系亲密的人，特别是年轻人常用。

基本パターン ［文の終わり（強調したいこと）］＋**って**

1
Ⓐ 何とか今度の大会に出てもらえない？
Ⓑ そう言われても無理。今、ほんとに時間がないんだ**って**。単位を落としそうなんだよ。
Ⓐ 田中さんが出てくれたら、助かるんだけど。

Ⓐ Nantoka kondo no taikai ni dete moraenai?
Ⓑ Soo iwaretemo muri. Ima, hontoni jikan ga nai n da **tte**. Tan'i o otoshisoo nan da yo.
Ⓐ Tanaka-san ga dete kuretara, tasukaru n dakedo.

Ⓐ Could you play for the next tournament in one way or another?
Ⓑ Even if I am asked like that, it is impossible. I have no time now really. I'm about to fail classes.
Ⓐ Mr.Tanaka, if you can play, it would save us.

Ⓐ 无论如何想请你参加这次大会啊。
Ⓑ 再说也没用，现在的确没有时间啊！要拿不到学分了！
Ⓐ 田中能参加的话就帮大忙了。

2
Ⓐ もう探すのやめたら？
Ⓑ でも、あの時計、気に入ってるんだ。
Ⓐ 見つからないものは見つからない**って**。

Ⓐ Moo sagasu no yametara?
Ⓑ Demo, ano tokee, kiniitteru n da.
Ⓐ Mitsukaranai mono wa mitsukaranai **tte**.

Ⓐ Why don't you stop looking for?
Ⓑ But I love that watch.
Ⓐ You can't find things which you can't find.

Ⓐ 别找了行吗？
Ⓑ 可是那个手表我很喜欢啊
Ⓐ 找不到的就是找不到！

66 だめだってば

〜てば

Dame da tteba
(No, no／不行啊)

emphasis
重点

Ⓐ この目覚まし、こわれてるよ。捨てよう。
Ⓑ なんとか直せない？
Ⓐ だめだってば。型が古すぎる。

Ⓐ This clock is broken. Let's throw it away.
Ⓑ Can't you repair it somehow?
Ⓐ No, no. The model is too old.

Ⓐ 这个闹钟坏了，仍了吧！
Ⓑ 不能修了吗？
Ⓐ 不行啊，型号太旧了！

Ⓐ *Kono mezamashi, kowareteru yo. Suteyoo.*
Ⓑ *Nantoka naosenai?*
Ⓐ *Dame da tteba. Kata ga furusugiru.*

▶ 「〜と言えば」を略した形で、強調に使います。強い調子なので、丁寧な話し方には使いません。

It is a short form of 「〜to ieba」 and used to emphasize. It is not used for a polite conversation because it has a forceful tone.

是「〜と言えば」的省略，用于强调。因为语气很强，客气的会话时不使用。

基本パターン　［文の終わり（強調したいこと）］＋ってば

1
Ⓐ もっと食べてよ。たくさん作ったんだから。
Ⓑ もう食べられないってば。
Ⓐ いいよ、じゃあ。残りは冷凍するから。

Ⓐ Please eat more. I made a lot.
Ⓑ I can't eat anymore.
Ⓐ Ok, then. I will freeze the leftovers.

Ⓐ 再多吃点儿吧！做了很多啊！
Ⓑ 吃不下了！
Ⓐ 好吧，那剩下的冷冻。

Ⓐ *Motto tabete yo. Takusan tsukutta n dakara.*
Ⓑ *Moo taberarenai tteba.*
Ⓐ *Iiyo, jaa. Nokori wa reetoo suru kara.*

2
Ⓐ 今晩は早く寝たほうがいいよ。面接のとき、風邪声だったら損だから。
Ⓑ わかってるってば。

Ⓐ You should go to bed early tonight. It would be bad, if your voice sounds like you have a cold at the interview.
Ⓑ I know, I know.

Ⓐ 今晚早点儿睡吧。面试时声音像感冒似的会不利的。
Ⓑ 知道了。

Ⓐ *Konban wa hayaku neta hoo ga ii yo. Mensetsu no toki, kazegoe dattara son dakara.*
Ⓑ *Wakatteru tteba.*

67 集合時間が早すぎるんだもの

Shuugoo jikan ga hayasugiru n *da mono*
(Because this meeting time is too early for me ／集合时间太早了!)

～だもの　　　because / 因为

Ⓐ 汗かいてるね。走ってきたの？
Ⓑ 走ったよ。集合時間が早すぎる**んだもの**。

Ⓐ Ase kaiteru ne. Hashitte kita no?
Ⓑ Hashitta yo. Shuugoo jikan ga hayasugiru n *da mono*.

Ⓐ You are sweating a lot. Did you run to come here?
Ⓑ Yes, I did. Because this meeting time is too early for me.
Ⓐ It's not early. This is almost too late to make a day trip.

Ⓐ 出了不少汗啊！跑来的？
Ⓑ 跑来的！集合时间太早了！
Ⓐ 不早啊！因为是一日游，这个时间很紧凑啊！

▶ 「だから」と同じように理由を表すのに使いますが、「だもの」はそれより親しく、甘えた感じで、使う相手も限られます。

It is similar to「dakara」and used to tell reasons. The use of「damono」is more limited to someone closer and it shows your dependent feeling.

与「だから」相同表示叙述理由，「だもの」只限于跟对方是关系密切，可以耍娇仰的人。

| 基本パターン | 注意や疑問に対して　［文の終わり］＋**んだもの** |

1 Ⓐ それ、残すの？
　Ⓑ 野菜、好きじゃない**んだもの**。
　Ⓐ また一、子供みたいなこと言って。

Ⓐ Sore, nokosu no?
Ⓑ Yasai, suki ja nai n *da mono*.
Ⓐ Mataa, kodomo mitaina koto itte.

Ⓐ Are you not going to eat it?
Ⓑ Because I don't like vegetables.
Ⓐ Come on, you sound like a child.

Ⓐ 那个，要剩下吗？
Ⓑ 我不喜欢蔬菜啊！
Ⓐ 又来了，像个孩子。

2 Ⓐ 遅いねえ。もっと早く歩けないの？
　Ⓑ だって、雨で道がぬれてて、歩きにくい**んだもの**。

Ⓐ Osoi nee. Motto hayaku arukenai no?
Ⓑ Datte, ame de michi ga nuretete, arukinikui n *da mono*.

Ⓐ You are so slow. Can't you walk faster?
Ⓑ No, the streets are wet with rain and it is very hard to walk.

Ⓐ 太慢了！不能快点儿走吗？
Ⓑ （因为）下雨道湿，不好走啊！

68 そんなに早く起きられない**ったら**

Sonna ni hayaku okirarenai **ttara**

(I just can't wake up so early ／起不了那么早啊！)

~たら
emphasis
重点

- Ⓐ 明日は７時集合だよ。
- Ⓑ そんなに早く起きられない**ったら**。
- Ⓐ 電話で起こしてやろうか。

- Ⓐ Ashita wa 7-ji shuugoo da yo.
- Ⓑ Sonna ni hayaku okirarenai **ttara**.
- Ⓐ Denwa de okoshite yaroo ka.

- Ⓐ We will meet at 7 o'clock tomorrow.
- Ⓑ I just can't wake up so early.
- Ⓐ Shall I call and wake you up?

- Ⓐ 明天7点集合啊！
- Ⓑ 起不了那么早啊！
- Ⓐ 打电话叫你啊？

▶「〜ってば」と同じように使いますが、「てば」よりややおとなしく、優しい印象の表現です。

It is used like「〜 tteba」, but it gives a softer and more gentle impression.

与「〜ってば」相同，比「てば」有温柔亲切感。

基本パターン ［N ／文の終わり（強調したいこと）］＋ **ったら**

1.
   - Ⓐ レポート、まだできないの？
   - Ⓑ もうちょっと手を入れたいんだ。
   - Ⓐ それで十分だ**ったら**。

   - Ⓐ Repooto, mada dekinai no?
   - Ⓑ Moo chotto te o iretai n da.
   - Ⓐ Sore de juubun da **ttara**.

   - Ⓐ You haven't finished your report yet?
   - Ⓑ I want to make a few more changes.
   - Ⓐ I think that's good enough.

   - Ⓐ 报告还没写出来啊？
   - Ⓑ 想再修改修改。
   - Ⓐ 那样已经足够了！

2.
   - Ⓐ 今月の営業成績、よかったじゃない。
   - Ⓑ でも、課長**ったら**、ひどいんだよ。先月は寝てたのか、だって。

   - Ⓐ Kongetsu no eegyoo seeseki, yokatta ja nai.
   - Ⓑ Demo, kachoo **ttara**, hidoi n da yo. Sengetsu wa neteta no ka, datte.

   - Ⓐ Your sales results this month were good.
   - Ⓑ But the section chief was mean. He asked me if I was sleeping last month.

   - Ⓐ 这个月的营业成绩不是挺不错的吗？
   - Ⓑ 可是科长他太不像话了！他说你上个月睡觉了吧。

④ あきらめ　69～71

69 しょうがないよ、直せないんだもの

Shooganai yo. naosenai n da mono
(But it can't be helped. We can't fix it ／没办法啊)

しょうがない／仕方がない　　Nothing can be done about it.
没办法啊

Ⓐ この電子レンジ、捨てるのもったいないね。
Ⓑ しょうがないよ、直せないんだもの。
Ⓐ それはそうだけど…。

Ⓐ *Kono denshi-renji, suteru no mottainai ne.*
Ⓑ *Shooganai yo. naosenai n da mono.*
Ⓐ *Sore wa soo da kedo….*

Ⓐ It is a waste to throw away this microwave.
Ⓑ But it can't be helped. We can't fix it.
Ⓐ You are right, but...

Ⓐ 这个微波炉仍太可惜了。
Ⓑ 没办法啊，没法修了啊。
Ⓐ 那倒也是…。

意味・使う場面　あきらめて問題の解決に向けた努力を放棄したときの表現です。「しょうがない」のほうがややくだけた感じです。丁寧な話では「仕方がありません」とします。

This expression is used when you give up making efforts to solve problems. 「shooganai」 is a little more casual and 「shikata ga arimasen」 is used in polite conversations.

是一种想努力解决问题但没办法只好放弃的一种表现。客气的说法是「仕方がありません」。

基本パターン　［相手の話／困った状況・残念なこと］＋しょうがない／仕方がない

会話練習

PART2 ●目的別でとらえる基本表現

1 Ⓐ このフレーズ、ちょっとまずいんじゃないですか。
Ⓑ <u>仕方ない</u>よ、社長の指示なんだから。
Ⓐ そうですかねえ。こっちの意見も、言うだけ言ってみていいと思いますけど。

Ⓐ *Kono fureezu, chotto mazui n ja nai desu ka.*
Ⓑ ***Shikatanai*** *yo, shachoo no shiji na n da kara.*
Ⓐ *Soo desu ka nee. Kocchi no iken mo, iu dake itte mite ii to omoimasu kedo.*

Ⓐ Isn't this phrase a little inappropriate?
Ⓑ We can't do anything. It is ordered by the president.
Ⓐ Is that so? I think it is fine just to say our opinions.

Ⓐ 这个口号是不是有点儿不太好啊？
Ⓑ 没办法啊，是社长的指示啊。
Ⓐ 是吗！不过，我觉得我们意见该说的还是应该说啊。

---

2 Ⓐ 彼、今度の大会は試合に出られないんだって。
Ⓑ そうですか。<u>仕方がありません</u>ね。
Ⓐ 優秀な選手だけど、協会のルールに違反したからね。

Ⓐ *Kare, kondo no taikai wa shiai ni derarenai n datte.*
Ⓑ *Soo desu ka.* ***Shikata ga arimasen*** *ne.*
Ⓐ *Yuushuuna senshu da kedo, kyookai no ruuru ni ihan shita kara ne.*

Ⓐ He can't play for the next games.
Ⓑ Really. But there is nothing we can do.
Ⓐ He is a great player, but he broke the rules of the association.

Ⓐ 听说他不能参加这次大会的比赛了。
Ⓑ 是吗！没办法啊！
Ⓐ 是个很优秀的选手，都是因为犯规了。

---

3 Ⓐ ちょっと今日は集まりが悪いね。
Ⓑ <u>しょうがない</u>。期末試験が近いから。
Ⓐ じゃ、いるメンバーだけで練習始めようか。

Ⓐ *Chotto kyoo wa atsumari ga warui ne.*
Ⓑ ***Shooganai****. Kimatsu shaken ga chikai kara.*
Ⓐ *Ja, iru menbaa dake de renshuu hajimeyoo ka.*

Ⓐ We don't have many people coming today.
Ⓑ Nothing can be done about it. It is because the final exams are coming soon.
Ⓐ Then, let's start to practice with members here.

Ⓐ 听说他不能参加这次大会的比赛了。
Ⓑ 是吗。没办法啊。
Ⓐ 是个很优秀的选手，都是因为犯规了。

70 いくら工夫してみても だめなんだ

Ikura kufuu shite mi*te mo* dame na n da
(It's not getting better no matter how much we try／不管怎么努力也不行啊)

いくら〜ても
No matter how much 〜
无论〜也〜、不管〜也〜

Ⓐ 売れ行きが落ちてるね。
Ⓑ **いくら**工夫してみ**ても**だめなんだ。
Ⓐ 何かいい手はないかなあ。

Ⓐ *Ureyuki ga ochiteru ne.*
Ⓑ ***Ikura*** *kufuu shite mi**te mo** dame na n da.*
Ⓐ *Nani ka ii te wa nai kanaa.*

Ⓐ Sales are slowing down.
Ⓑ It's not getting better no matter how much we try.
Ⓐ I wonder if there is something we can do.

Ⓐ 销售下降了啊。
Ⓑ 不管怎么努力也不行啊。
Ⓐ 没什么好办法吗？

意味・使う場面

「努力してもうまくいかないのであきらめる」ことを表す表現です。「いくら」の代わりに「どんなに」も使えますが、「いくら」のほうが会話的です。

This expression tells that something doesn't go well despite your efforts and you give up. You may use「donna ni」instead of「ikura」, but「ikura」is more conversational.

表示「努力してもうまくいかないのであきらめる／怎么努力也做不好，只好放弃」的意思。也可以用「どんなに」来代替「いくら」。会话中常用「いくら」。

基本パターン　いくら／どんなに ＋ V **ても** ＋ [文（否定的なこと）]

会話練習

PART2 ●目的別でとらえる基本表現

1 Ⓐ それはいつまでにやる仕事なの？
　Ⓑ 金曜日。でも、なんとか水曜日までに終わらせられないかと思ってる。
　Ⓐ それは無理だよ、**いくら**がんばっ**ても**。

Ⓐ Sore wa itsu made ni yaru shigoto na no?
Ⓑ Kin'yoobi. Demo, nantoka suiyoobi made ni owaraserarenai ka to omotteru.
Ⓐ Sore wa muri da yo, **ikura** ganbat**te mo**.

Ⓐ When do you have to finish that job?
Ⓑ Friday. But I hope I could finish it by Wednesday somehow.
Ⓐ That's impossible no matter how much you try.

Ⓐ 那是到什么时候必须完工的工作？
Ⓑ 到星期五。不过，我觉得努力到星期三也许能做完。
Ⓐ 那不太现实了，不管怎么努力。

2 Ⓐ 山田さんはうらやましいな。
　Ⓑ どうして？
　Ⓐ **いくら**食べ**ても**太らないんだもの。

Ⓐ Yamada-san wa urayamashii na.
Ⓑ Dooshite?
Ⓐ **Ikura** tabe**temo** futoranai n da mono.

Ⓐ I envy Ms Yamada.
Ⓑ Why?
Ⓐ Because no matter how much she eats, she doesn't gain weight.

Ⓐ 真羨慕山田啊。
Ⓑ 为什么？
Ⓐ 不管怎么吃也不胖啊！

3 Ⓐ 論文は進んでる？
　Ⓑ さっぱり。**いくら**考え**ても**いいテーマが浮かばなくて。
　Ⓐ そういう時は気分転換をしたほうがいいよ。
　Ⓑ それもそうだね。ボーリングにでも行こうか。

Ⓐ Ronbun wa susunderu?
Ⓑ Sappari. **Ikura** kangae**temo** ii teema ga ukabanakute.
Ⓐ Sooiu toki wa kibun-tenkan o shita hoo ga ii yo.
Ⓑ Sore mo soo da ne. Booringu ni demo ikoo ka.

Ⓐ How are you progressing with your theses?
Ⓑ Not at all. I can't find any good theme no matter how hard I think.
Ⓐ When you feel like that, it would be better to do something different for a change.
Ⓑ You are right. Shall we go bowling or something?

Ⓐ 论文进展顺利？
Ⓑ 一点也没有进展。不管怎么想也想不出好的题目来。
Ⓐ 这个时候应该换换心情啊。
Ⓑ 那倒也是，我们去打保龄球什么的吧！

125

71 どうせ断られるよ
Doose kotowarareru yo
(We will be refused anyway ／反正还是会被拒绝的)

どうせ	anyway, after all 反正

Ⓐ 彼、もう一度誘ってみようよ。
Ⓑ **どうせ**断られるよ。仕事以外は頭にないから。
Ⓐ でも、だめでもともとだから。

Ⓐ Kare, moo ichido sasotte miyoo yo.
Ⓑ **Doose** kotowarareru yo. Shigoto igai wa atama ni nai kara.
Ⓐ Demo, dame de motomoto dakara.

Ⓐ Let's invite him again.
Ⓑ We will be refused anyway. He only thinks about work.
Ⓐ But we have nothing to lose.

Ⓐ 再邀请一下他吧。
Ⓑ 反正还是会被拒绝的。他脑袋里除了工作没别的。
Ⓐ 那不行就不行呗。

意味・使う場面
能力などの限界を考えて、成功の見込みがないとあきらめる気持ちを表す表現です。「結局」と意味は似ていますが、悲観的な態度を表します。

It expresses your feeling of resignation after considering the limitations of your ability. It is similar to 「kekkyoku」, but describes a more pessimistic view.

表示已经超过能力的极限，没有成功的可能而放弃。有「結局／結果」的意思，表示悲观的态度。

基本パターン: **どうせ** ＋［文（否定的なこと）］

会話練習

1. Ⓐ もうやめた。
   Ⓑ え？ もう、あきらめたの？
   Ⓐ うん、**どうせ**ぼくの頭じゃ解けっこないよ。

   Ⓐ Moo yameta.
   Ⓑ E? Moo, akirameta no?
   Ⓐ Un, *doose* boku no atama ja toke kko nai yo.

   Ⓐ I quit this.
   Ⓑ What? You've given up already?
   Ⓐ Yeah, my brain will never solve it anyway.

   Ⓐ 不做了！
   Ⓑ 咦？放弃了？
   Ⓐ 嗯。反正我的脑袋是解不出来的了。

2. Ⓐ 宝くじ、買ってみる？
   Ⓑ いいよ。**どうせ**当たるわけないから。
   Ⓐ また、そういうことを言う。

   Ⓐ Takarakuji, katte miru?
   Ⓑ Iiyo. *Doose* ataru wake nai kara.
   Ⓐ Mata, sooiu koto o iu.

   Ⓐ Shall we buy lottery tickets?
   Ⓑ No. We will never win after all.
   Ⓐ You always say such things.

   Ⓐ 买彩票试试？
   Ⓑ 没有。反正也不会中的。
   Ⓐ 又说种话。

3. Ⓐ 小説書くの、やめたの？
   Ⓑ うん、**どうせ**才能ないから。
   Ⓐ でも、書くのが好きなんでしょ。もうちょっとやってみたら？

   Ⓐ Shoosetsu kaku no, yameta no?
   Ⓑ Un, *doose* sainoo nai kara.
   Ⓐ Demo, kaku no ga sukina n desho. Moo chotto yatte mitara?

   Ⓐ Have you stop writing novels?
   Ⓑ Yeah, I don't have talent after all.
   Ⓐ But you like writing, don't you? Why don't you try a little more?

   Ⓐ 不写小说了？
   Ⓑ 嗯！反正没那个才能啊！
   Ⓐ 可是，你喜欢写不是？再写写看怎么样？

⑤ 軽い扱い・低い評価　72〜74

72 それ**くらい**なら、あきらめられるでしょう

*Sore **kurai** nara, akiramerareru deshoo*
(You can get it out of your mind if it's just that much ／ 那么点儿的话，就别上火了)

〜くらい　　just, only / 那么点儿

Ⓐ 株で10万損しちゃった。
Ⓑ それ**くらい**なら、あきらめられるでしょう。
Ⓐ そうもいかないよ。こっちは君のような金持ちと違うんだから。

Ⓐ I lost 100000 yen in stocks.
Ⓑ You can get it out of your mind if it's just that much.
Ⓐ No, I can't do that. I'm not rich like you.

Ⓐ 股票损失了10万！
Ⓑ 那么点儿的话，就别上火了。
Ⓐ 哪儿能不上火啊！我不像你那么有钱啊！

Ⓐ *Kabu de 10-man son shichatta.*
Ⓑ *Sore **kurai** nara, akiramerareru deshoo.*
Ⓐ *Soo mo ikanai yo. Kocchi wa kimi no yoona kanemochi to chigau n dakara.*

意味・使う場面：あるものについて、それを軽く扱う、あるいは低く評価することを示す表現です。「くらい」とも「ぐらい」とも発音します。

It shows that you don't treat something respectfully or you put a low value on something. Both 「kurai」 and 「gurai」 are used.

表示对某种东西抱有轻视低估的意思。可发「くらい」，也可以发「ぐらい」。

基本パターン：（N／A／NAな／V普通形）＋ **くらい**／**ぐらい**

1 Ⓐ この仕事、ぼくには向いてないんだよ。
　Ⓑ １度や２度の失敗**ぐらい**で、決めつけなくてもいいって。
　Ⓐ １度や２度じゃないんだ。３度目なんだよ。

Ⓐ *Kono shigoto, boku niwa muitenai n da yo.*
Ⓑ *1-do ya 2-do no shippai **gurai** de, kimetsukenakutemo ii tte.*
Ⓐ *1-do ya 2-do ja nai n da. 3-do me na n da yo.*

Ⓐ This job doesn't fit me.
Ⓑ You don't have to believe it after making only one or two mistakes.
Ⓐ It is not one or two. This is the third.

Ⓐ 这个工作不适合我啊。
Ⓑ 不要只凭一次两次的失败就得出结论啊！
Ⓐ 不是一次两次啊！是第三次了啊！

2 Ⓐ 熱があるみたいだけど、アルバイト、行くの？
　Ⓑ うん、これ**くらい**の熱なら、大丈夫だよ。
　Ⓐ 無理しないほうがいいと思うけど。
　Ⓑ うん。辛くなったら途中で帰ってくる。

Ⓐ *Netsu ga aru mitai dakedo, arubaito, iku no?*
Ⓑ *Un, kore **kurai** no netsu nara, daijoobu da yo.*
Ⓐ *Muri shinai hoo ga ii to omou kedo.*
Ⓑ *Un. Tsurakunattara tochuude kaettekuru.*

Ⓐ It seems that you have a fever. Are you going to your part-time job?
Ⓑ Yes, I will be fine with a mild fever like this.
Ⓐ I think you shouldn't push yourself too much.
Ⓑ I know. I would leave early and come home if I feel bad.

Ⓐ 你好像发烧啊、还去打工？
Ⓑ 嗯，这点儿热没事儿的。
Ⓐ 我觉得还是别勉强啊。
Ⓑ 嗯。如果难受的话，中途就回来。

73 洗ったぐらいじゃ、この汚れは落ちないよ

Aratta gurai **ja**, kono yogore wa ochinai yo
(If it's just washing, this stain won't come off ／光洗是去不掉这污渍的)

〜じゃ　　A modified version of「〜では」
是「〜では」的变化形

Ⓐ そのＴシャツ、洗ってみたら？まだ着られるかもしれないよ。
Ⓑ 洗ったぐらい**じゃ**、この汚れは落ちないよ。
Ⓐ そうかなあ。やってみないとわからないと思うけど。

Ⓐ Why don't you wash the T-shirt. You might be able to still wear it.
Ⓑ If it's just washing, this stain won't come off.
Ⓐ Are you sure? I don't think you can be sure without trying.

Ⓐ 那件衬衫洗洗看也许还能穿呢。
Ⓑ 光洗是去不掉这污渍的。
Ⓐ 是吗。不洗洗看怎么能知道啊。

Ⓐ Sono T-shatsu, aratte mitara? Mada kirareru kamo shirenai yo.
Ⓑ Aratta gurai **ja**, kono yogore wa ochinai yo.
Ⓐ Soo kanaa. Yatte minai to wakaranai to omou kedo.

意味・使う場面　「では」の崩れた発音で、あとに否定的な評価や判断、質問などが続きます。また、「〜じゃ」だけで否定的な評価を表すこともあります。

It is more casual than「dewa」. It is followed by a negative comment, judgment or question.
是「では」的草率发音、后接否定的评价、判断及提问等。只用「〜じゃ」也能表示否定的评价。

基本パターン　Ｎ＋**じゃ**＋［文（否定的なこと）］

会話練習

1
- Ⓐ 宿泊代に関しましては、3人様以上は5パーセントお引きしますが。
- Ⓑ たった5パーセント**じゃ**ねえ…。
- Ⓐ そのほか、プールの割引券もご用意しております。

Ⓐ Shukuhakudai ni kanshimashitewa, 3-nin sama ijoo wa 5-paasento ohiki shimasu ga.
Ⓑ Tatta 5-paasento *ja* nee….
Ⓐ Sonohoka, puuru no waribiki ken mo goyooi shite orimasu.

Ⓐ As for accommodation rate, we give you a 5% discount if it's three people or more.
Ⓑ If it's just 5 %...
Ⓐ In addition, we also give you discount tickets for a swimming pool.

Ⓐ 关于住宿费，3名以上可以便宜5%。
Ⓑ 只便宜5%啊…。
Ⓐ 除此之外，还提供游泳池的减价券。

2
- Ⓐ 会費、いくらにするの？
- Ⓑ 2000円ぐらいに抑えたいんだけど。
- Ⓐ それ**じゃ**、大した料理が出せないでしょう。不満が残るよ、きっと。
- Ⓑ だけど、それ以上だと、みんな来ないよ。

Ⓐ Kaihi, ikura ni suru no?
Ⓑ 2000-en gurai ni osaetai n da kedo.
Ⓐ Sore *ja*, taishita ryoori ga dasenai deshoo. Fuman ga nokoru yo, kitto.
Ⓑ Dakedo, sore ijoo da to, minna konai yo.

Ⓐ How much do we charge for the party?
Ⓑ I don't want it to be more than 2000 yen.
Ⓐ If it's only that much, we can't serve good food. I'm sure that they will not be satisfied.
Ⓑ But if it's more than that, they would not come.

Ⓐ 会费按多少钱计算？
Ⓑ 想控制在2000日元以内。
Ⓐ 那样的话，吃不到什么好的吧。大家一定会不满意的。
Ⓑ 可是，2000以上的话，都不来了呀！

74 でも、哲学なんか役に立つの？

*Demo, tetsugaku **nanka** yaku ni tatsu no?*
(But is philosophy useful? ／学哲学有什么用吗？)

～なんか／～なんて
Indicates a negative point of view
表示否定的看法

Ⓐ 哲学を勉強したいと思ってるんだ。
Ⓑ へえ。でも、哲学**なんか**役に立つの？
Ⓐ こういう時代だからこそ、必要な気がするんだけどな。

Ⓐ I'm thinking of studying philosophy.
Ⓑ Huh. But is philosophy useful?
Ⓐ I feel we need it precisely because we live in times like this.

Ⓐ 我想学哲学。
Ⓑ 哎！学哲学有什么用吗？
Ⓐ 正因为是这个时代所以才觉得有必要啊！

Ⓐ *Tetsugaku o benkyooshitai to omotteru n da.*
Ⓑ *Hee. Demo, tetsugaku **nanka** yaku ni tatsu no?*
Ⓐ *Kooiu jidai dakara koso, hitsuyoo na ki ga suru n dakedo na.*

意味・使う場面 「～なんか／～なんて」と例をあげたあと、通常、否定的な、あるいは低い評価が続きます。「なんか」のほうがより否定的、感情的な表現です。

You give an example using 「～ nanka ／～ nante」. It is usually followed by a negative judgment. 「～ nanka」 is more negative and emotional.

举出例子后，一般后续否定，或较低的评价。「なんか」更具有否定的、感情的语气。

基本パターン N ＋ **なんか**／なんて ＋ [文（低い評価）]

会話練習

1 Ⓐ この部屋、いまいちだなあ、狭くて。
　　Ⓑ でも、この料金で広い部屋**なんて**、見つけるの無理だよ。
　　Ⓐ じゃ、あきらめて、ここにする？

- Ⓐ This room is small and not so great.
- Ⓑ But it is impossible to find a bigger room with this rate.
- Ⓐ Then, we give up and stay here?

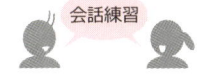

- Ⓐ 这个屋子一般啊，太窄了。
- Ⓑ 不过，这个价钱想找大点的不可能啊。
- Ⓐ 那，不找了，就住这儿了？

Ⓐ Kono heya, imaichi da naa, semakute.
Ⓑ Demo, kono ryookin de hiroi heya **nante**, mitsukeru no muri da yo.
Ⓐ Ja, akiramete, koko ni suru?

---

2 Ⓐ あの女優、もっと人気が出ると思ったけど、意外だなあ。
　　Ⓑ ただかわいいだけ**なんて**、最近はだめなんだよ。
　　Ⓐ けっこう個性的なほうだと思うんだけどなあ。

- Ⓐ I thought that actress would become more popular. I'm surprised.
- Ⓑ Just being cute is not good enough these days.
- Ⓐ I think she is quite distinct.

- Ⓐ 那个女演员我以为更受欢迎，可是有点儿出乎意料啊。
- Ⓑ 光可爱最近是不行的了。
- Ⓐ 我觉得她挺有个性的啊。

Ⓐ Ano joyuu, motto ninki ga deru to omotta kedo, igai da naa.
Ⓑ Tada kawaii dake **nante**, saikin wa dame na n da yo.
Ⓐ Kekkoo koseeteki na hoo da to omou n da kedo naa.

---

3 Ⓐ 石原さん、ハワイに行ったんだって。
　　Ⓑ あいつの話**なんか**聞きたくないよ。
　　Ⓐ まだ怒ってるの？　いいかげん、仲直りしたら？

- Ⓐ I heard that Mr. Ishihara went to Hawaii.
- Ⓑ I don't want to hear about him.
- Ⓐ Are you still mad? Isn't it about time to become friends again?

- Ⓐ 听说石原去了夏威夷了。
- Ⓑ 我不想听那个家伙的话题！
- Ⓐ 还在生气呢？差不多了,该和好了吧？

Ⓐ Ishihara-san, Hawai ni itta n date.
Ⓑ Aitsu no hanashi **nanka** kikitakunai yo.
Ⓐ Mada okotteru no? Iikagen, nakanaori shitara?

⑥ 丁寧さ・控えめさ

75

悪いけど、今晩はもう帰らせてもらうよ

Warui kedo, konban wa moo kaera**sete morau** yo
(I'm sorry, but with your permission I will go home now tonight／对不起，今晚请让我回去吧)

〜（さ）せてもらう／
〜（さ）せていただく

Please let me 〜
请让

Ⓐ 急ぐの？
Ⓑ 悪いけど、今晩はもう帰ら**せてもらう**よ。ちょっと用があるから。
Ⓐ もう少し待てば彼女も来ると思うけど。
Ⓑ また今度あいさつするよ。

Ⓐ Isogu no?
Ⓑ Warui kedo, konban wa moo kaera**sete morau** yo. Chotto yoo ga aru kara.
Ⓐ Moo sukoshi mate ba kanojo mo kuru to omou kedo.
Ⓑ Mata kondo aisatsu suru yo.

Ⓐ Are you in a hurry?
Ⓑ I'm sorry, but with your permission I will go home now tonight. I have something to do.
Ⓐ If you wait a little longer, I think she will be here.
Ⓑ I will meet her next time.

Ⓐ 你有急事吗？
Ⓑ 对不起，今晚请让我回去吧，我有点事。
Ⓐ 再等一会儿我想她也会来的。
Ⓑ 等下次再打招呼吧。

意味・使う場面 自分の意思でなく、相手の許可を得て行動するという形で、遠慮の気持ちを表す表現です。「〜させてもらう」より「〜させていただく」のほうがより丁寧です。

You may show your consideration for others by asking permission. 「〜 sasete itadaku」is more polite than 「〜 sasete morau」.

不是以自己的意愿，而是以得到对方的许可而行事，用这种方式来表示一种客气的语气。

基本パターン　[V 使役形（せる）] ＋ **（さ）せてもらう／（さ）せていただく**

会話練習

1
- Ⓐ こちらのジャケットをお買い上げでよろしいですか。
- Ⓑ そうねえ。2、3日考え**させてもらう**よ。取っといてくれる？
- Ⓐ お取り置きの場合、代金の2割を先にお支払いいただくことになりますが。

Ⓐ Kochira no jaketto o okaiage de yoroshii desu ka.
Ⓑ Soo nee. 2,3-nichi kangae **sasete morau** yo. Tottoite kureru?
Ⓐ Otorioki no baai, daikin no 2-wari o saki ni oshiharai itadaku koto ni narimasu ga.

Ⓐ You will buy this jacket, right?
Ⓑ Uh, let me think for a few days. Could you reserve it for me?
Ⓐ For reserving it, we would charge 20 percent of the price in advance.

Ⓐ 您是买这件外套吧？
Ⓑ 是啊，不过再给我两三天考虑考虑吧，能先给我留着吗？
Ⓐ 预约保留的话，得请您先付20%的费用

2
- Ⓐ ここでは決められませんか。
- Ⓑ はい。社内で検討した上で、お返事**させていただきたい**のですが。
- Ⓐ まあ、1週間ぐらいなら待ちますけど。

Ⓐ Koko dewa kimeraremasen ka.
Ⓑ Hai. Shanai de kentooshita ue de, ohenji **sasete itadakitai** no desu ga.
Ⓐ Maa, 1-shuukan gurai nara machimasu kedo.

Ⓐ Can't you decide now?
Ⓑ No. I would like to answer after discussing it with everyone in our office.
Ⓐ Well, I will wait if it's only a week or so.

Ⓐ 在这儿定不下来吗？
Ⓑ 是的，公司讨论研究完后，再给您答复。
Ⓐ 那，一周的话可以等。

3
- Ⓐ 来月の第1週に3日ほど休ま**せていただきたい**のですが。
- Ⓑ あ、そう。わかった。
- Ⓐ 皆さんが忙しい時で申し訳ないのですが。
- Ⓑ そんな遠慮はいらないよ。

Ⓐ Raigetsu no dai 1-shuu ni mikka hodo yasuma**sete itadakitai** no desu ga.
Ⓑ A, soo. Wakatta.
Ⓐ Minasan ga isogashii toki de mooshiwakenai no desu ga.
Ⓑ Sonna enryo wa iranai yo.

Ⓐ I would like to have three days off in the first week of next month.
Ⓑ Ok, I see.
Ⓐ I'm sorry for doing this when everybody is busy.
Ⓑ Don't worry about it.

Ⓐ 下月的第一周想请您允许我休息3天。
Ⓑ 啊。知道了。
Ⓐ 大家正忙的时候，实在很抱歉。
Ⓑ 不用那么客气啊。

76 よろしいでしょうか

Yoroshii de shoo ka
(Is it all right?／可以吗？)

よろしい　　　good, fine
　　　　　　　好、可以

Ⓐ〈車の修理〉ドアの修理のほう、終わりましたので、ご確認ください。…**よろしい**でしょうか。

Ⓑはい、けっこうです。あんなに凹んでたのに、よくこんなにきれいになりましたね。

Ⓐありがとうございます。

Ⓐ〈*Kuruma no shuuri*〉*Doa no shuuri no hoo, owarimashita node, go-kakunin kudasai. …**Yoroshii** de shoo ka.*

Ⓑ *Hai, kekkoo desu. Anna ni hekondeta noni, yoku konnani kiree ni narimashita ne.*

Ⓐ *Arigatoo gozaimasu.*

Ⓐ <Car repair> We finished repairing the door. Please check it. Is it all right?

Ⓑ Yes, this is good. It was badly dented, but now it is so beautiful.

Ⓐ Thank you very much.

Ⓐ（修车）门修理完了，请您确认一下可以吗？

Ⓑ 好，可以了。凹得那么厉害，竟能修得这么漂亮啊。

Ⓐ 谢谢！

意味・使う場面

「いい」の改まった形です。多く、丁寧な場面で使います。

It is a formal version of「ii」. It is usually used in polite settings.

是「いい」的很郑重的说法，多用于客气有礼貌的场面。

基本パターン　（客や目上の人に）**よろしい**

会話練習

PART2 ●目的別でとらえる基本表現

1. ⓐ 部長、ちょっとお時間、**よろしい**でしょうか。
   ⓑ ああ、いいけど。場所、移ったほうがいいかな。
   ⓐ いえ、こちらでけっこうです。

   ⓐ Chief, can I have a minute?
   ⓑ Yes, that's fine. Shall we move to someplace else?
   ⓐ No, this place is fine.

   ⓐ 经理，您现在方便吗？
   ⓑ 啊！可以，换个地方好吧。
   ⓐ 不用，在这儿就可以。

   ⓐ *Buchoo, chotto ojikan, **yoroshii** deshoo ka.*
   ⓑ *Aa, iikedo. Basho, utsutta hoo ga ii kana.*
   ⓐ *Ie, kochira de kekkoo desu.*

2. ⓐ 打ち合わせの日ですが、今週の金曜日でも**よろしい**でしょうか。
   ⓑ 私はかまいませんが。
   ⓐ じゃ、そうさせてください。2時にそちらに参りますので。
   ⓑ わかりました。

   ⓐ Is this Friday ok to have our meeting?
   ⓑ That's fine with me.
   ⓐ Then, let's do so. I will come there at two o'clock.
   ⓑ I understand.

   ⓐ 商谈的日子，这周五可以吗？
   ⓑ 我没问题。
   ⓐ 那，就这样定了。两点去您那里。
   ⓑ 好的。

   ⓐ *Uchiawase no hi desu ga, konshuu no kin'yoobi demo **yoroshii** deshoo ka.*
   ⓑ *Watashi wa kamaimasen ga.*
   ⓐ *Ja, soo sasete kudasai. 2-ji sochira ni mairimasu node.*
   ⓑ *Wakarimashita.*

3. ⓐ **よろしければ**、ここに署名をお願いします。
   ⓑ この欄ですね。
   ⓐ はい。それから、こちらにもお願いします。

   ⓐ If it is fine, please sign here.
   ⓑ This blank, right?
   ⓐ Yes. And also here.

   ⓐ 可以的话，请在这儿签名。
   ⓑ 在这个栏吧。
   ⓐ 是的。然后，请在这儿上面也签上。

   ⓐ ***Yoroshikereba**, koko ni shomee o onegai shimasu.*
   ⓑ *Kono ran desu ne.*
   ⓐ *Hai. Sorekara, kochira nimo onegai shimasu.*

⑦ 不満・注文・主張・理由　77〜82

77　<u>ただ</u>、引用が多すぎるって、先生が注意してた

<u>Tada</u>, inyoo ga oosugiru tte, sensee ga chuui shiteta
(Only, the teacher warned her that she used too many citations／只是老师说她引用的太多)

ただ	Only 只是

Ⓐ 山本さんの研究発表、よかったよ。
Ⓑ そう。彼女、よく勉強してるもんね。
Ⓐ <u>ただ</u>、引用が多すぎるって、先生が注意してた。

Ⓐ Yamamoto-san no kenkyuu happyoo, yokatta yo.
Ⓑ Soo. Kanojo, yoku benkyoo shiteru mon ne.
Ⓐ <u>Tada</u>, inyoo ga oosugiru tte, sensee ga chuui shiteta.

Ⓐ Yamamoto-san's research presentation was very good.
Ⓑ I see. She does study a lot, after all.
Ⓐ Only, the teacher warned her that she used too many citations.

Ⓐ 山本的研究发表讲得真不错啊。
Ⓑ 是啊。她特别用功啊。
Ⓐ 只是老师说她引用的太多。

意味・使う場面　全体について概ねプラスの評価をしたあと、「一方で、一部欠点や修正の必要がある」という意味で使います。

Used after mostly praising something as a whole to say that a part contains shortcomings or needs to be fixed.

用于整体上给予肯定之后，另一方面又指出存在着缺点及有修改的必要。

基本パターン　［文（評価）］＋ <u>ただ</u> ＋［文（不満・気になる点）］

会話練習

1 Ⓐ パッケージのデザインなんだけど、まあまあおしゃれで、色のバランスもいいと思う。
Ⓑ ありがとうございます。
Ⓐ **ただ**、どこかで見たような感じで、面白くないんだよね。

Ⓐ Pakkeeji no dezain na n dakedo, maamaa oshare de, iro no baransu mo ii to omou.
Ⓑ Arigatoo gozaimasu.
Ⓐ *Tada*, doko ka de mita yoona kanji de, omoshirokunai n dayo ne.

Ⓐ The design of the package is pretty fashionable, and I think the colors are also balanced well.
Ⓑ Thank you very much.
Ⓐ Only, it's not very interesting. I feel like I've seen it somewhere before.

Ⓐ 包装的设计比较高雅,颜色搭配得也不错。
Ⓑ 谢谢!
Ⓐ 只是感觉在哪儿看过,没有特色。

---

2 Ⓐ この小説、面白いね。
Ⓑ うん。評判がいいみたい。
Ⓐ **ただ**、専門用語とかが多くて、ちょっと読むのに疲れるな。

Ⓐ Kono shoosetsu, omoshiroi ne.
Ⓑ Un. Hyooban ga ii mitai.
Ⓐ *Tada*, senmon yoogo toka ga ookute, chotto yomu noni tsukareru na.

Ⓐ This novel is interesting, isn't it?
Ⓑ Yes. It sounds like it's been well received.
Ⓐ Only, it uses a lot of specialized language, so reading it tires me.

Ⓐ 这本小说很有意思啊。
Ⓑ 嗯。评价好像不错。
Ⓐ 只是专业术语太多,读起来有点费劲。

---

3 Ⓐ 旅行の準備、できた?
Ⓑ うん。**ただ**、何か忘れてるような気がするんだよね。
Ⓐ 下着とか?
Ⓑ いや。あ、思い出した! パジャマだ!

Ⓐ Ryokoo no junbi, dekita?
Ⓑ Un. *Tada*, nanika wasureteru yoona ki ga suru n dayo ne.
Ⓐ Shitagi toka?
Ⓑ Iya. A, omoidashita! Pajama da!

Ⓐ Are you ready for the trip?
Ⓑ Yes. Only I feel like I'm forgetting something.
Ⓐ Your underwear?
Ⓑ No. Oh, that's what it was! My pajamas!

Ⓐ 旅行的准备做好了吗?
Ⓑ 嗯。只是总觉得好像忘了什么似的。
Ⓐ 内衣什么的?
Ⓑ 不是。啊! 想起来了,是睡衣!

78 ただし、次回はもうだめですからね

Tadashi, jikai wa moo dame desu kara ne
(However, I won't be taking it next time ／只是下次可不行啊)

ただし	However 只是

Ⓐ 提出期限を過ぎていますが、今回は受け付けます。
Ⓑ ありがとうございます。
Ⓐ <u>ただし</u>、次回はもうだめですからね。

Ⓐ *Teeshutsu kigen o sugiteimasu ga, konkai wa uketsukemasu.*
Ⓑ *Arigatoo gozaimasu.*
Ⓐ <u>*Tadashi*</u>, *jikai wa moo dame desu kara ne.*

Ⓐ While it's already past the submission deadline, I will take it this time around.
Ⓑ Thank you very much.
Ⓐ However, I won't be taking it next time.

Ⓐ 虽然过提交期限了，这次受理了。
Ⓑ 谢谢！
Ⓐ 只是下次可不行啊！

意味・使う場面
一部に修正の必要があるという点で「ただ」に似ていますが、「ただし」のほうが、強い印象があり、やや改まった感じがします。

A Similar to 「ただ」 in that it indicates something that needs to be fixed, but 「ただし」 makes a stronger impression and sounds somewhat formal.

在一部分需要修正这点上与「ただ」很相似，「ただし」给人的印象很强，有强调的口气。

基本パターン　［文（評価）］＋ <u>ただし</u> ＋［文（注意・追加情報）］

会話練習

PART2 ●目的別でとらえる基本表現

1 Ⓐ このバター、ずいぶん安いですね。
Ⓑ はい。**ただし**、お一人様2個までとなっております。
Ⓐ そうなんだ。まあ、仕方ないか。

Ⓐ This butter is quite cheap.
Ⓑ Yes. However, there is a limit of two per customer.
Ⓐ I see. Well, what can you do.

Ⓐ 这个黄油真便宜啊。
Ⓑ 是啊！只是一个人只能买两个。
Ⓐ 是嘛。那就没办法了。

Ⓐ Kono bataa, zuibun yasui desu ne.
Ⓑ Hai. **Tadashi**, ohitori sama 2-ko made to natte orimasu.
Ⓐ Soo nan da. Maa, shikata nai ka.

---

2 Ⓐ 台風が来るから。明日は午後からにしよう。
Ⓑ わかりました。1時からですか。
Ⓐ うん。**ただし**、終わりの時間を1時間後ろにずらしたい。
Ⓑ わかりました。みんなに伝えます。

Ⓐ A typhoon is coming. Let's start in the afternoon tomorrow.
Ⓑ All right. From 1?
Ⓐ Yes. However, I would like to make the ending time an hour later.
Ⓑ I understand. I'll let everyone know.

Ⓐ 台风要来，改在明天下午吧。
Ⓑ 知道了。一点开始吗？
Ⓐ 嗯！只是结束的时间要延后一个小时。
Ⓑ 知道了。我传达给大家。

Ⓐ Taifuu ga kuru kara. Ashita wa gogo kara ni shiyoo.
Ⓑ Wakarimashita. 1-ji kara desu ka.
Ⓐ Un. **Tadashi**, owari no jikan o 1-jikan ushiro ni zurashitai.
Ⓑ Wakarimashita. Minna ni tsutaemasu.

---

3 Ⓐ 〈診察のあと〉薬局で目薬をもらって毎日差してください。
Ⓑ はい、わかりました。あのう、こちらの医院は何時までですか。
Ⓐ 3時までです。**ただし**、土曜日は正午までです。

Ⓐ (After an examination) Please get eye drops from the pharmacy and use them every day.
Ⓑ Okay, I understand. Um, what time is this clinic open until?
Ⓐ Until 3. However, it's open until noon on Saturdays.

Ⓐ (看完病后) 在药局领取眼药, 每天上。
Ⓑ 好的, 知道了。请问, 这个医院开到几点？
Ⓐ 到三点。只是星期六到中午。

Ⓐ <Shinsatsu no ato> Yakkyoku de megusuri o moratte mainichi sashite kudasai.
Ⓑ Hai, wakarimashita. Anoo, kochira no iin wa nanji made desu ka.
Ⓐ 3-ji made desu. **Tadashi**, doyoobi wa shoogo made desu.

79 だって、道が混んでたんだもん

Datte, michi ga kondeta n damon
(But the street was crowded ／因为路上堵车啊)

| だって | But
因为 |

Ⓐ 20分も遅れるなんて、信じられない。
Ⓑ **だって**、道が混んでたんだもん。
Ⓐ 一つ前のバスに乗ってたら、間に合ってたでしょ。
Ⓑ それはそうだけど…。

Ⓐ I can't believe you were twenty minutes later.
Ⓑ But the street was crowded.
Ⓐ You would've made it on time if you rode one bus earlier.
Ⓑ That may be true, but...

Ⓐ 晚了20分钟啊，真令人难以相信。
Ⓑ 因为路上堵车啊！
Ⓐ 那坐前一班的公共汽车不就来得及了！
Ⓑ 那倒是…。

Ⓐ 20-ppun mo okureru nante, shinjirarenai.
Ⓑ **Datte**, michi ga kondeta n damon.
Ⓐ Hitotsu mae no basu ni nottetara, ma ni atteta desho.
Ⓑ Sore wa soo dakedo….

意味・使う場面

「だといっても」の略で、理由を述べるのに使われますが、自己主張が入った甘えた感じがするので、丁寧な場面では使えません。

A shortening of「だといっても」and is used to explain a reason. However, this also sounds like a somewhat childish way to express a personal reason, and is not used in polite situations.

是「だといっても」的省略，用于叙述理由，有种强调自我的感觉，郑重场合不能使用。

基本パターン　だって ＋ 〜んだ／〜（だ）から／〜（だ）もの
〔理由・言い訳〕

会話練習

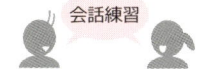

1
- Ⓐ さあ、子供は寝る時間だよ。
- Ⓑ **だって**、明日は日曜だもん、もうちょっといいでしょ？
- Ⓐ だめ。さあ、早く寝て。

- Ⓐ Saa, kodomo wa neru jikan dayo.
- Ⓑ **Datte**, ashita wa nichiyoo damon, moo chotto ii desho?
- Ⓐ Dame. Saa, hayaku nete.

- Ⓐ Okay, children. Time to go to bed.
- Ⓑ But tomorrow's Sunday. Can't we stay up a little longer?
- Ⓐ No. Now hurry up and get to bed.

- Ⓐ 好了！ 孩子该睡觉了！
- Ⓑ 明天不是星期天吗！ 再等一会儿行吧？
- Ⓐ 不行！ 快睡觉。

2
- Ⓐ あの服、すぐ返す約束だったじゃない？
- Ⓑ だって、汚しちゃったからクリーニングに出してるのよ。
- Ⓐ うそー。とにかく早く返して。必要だから。

- Ⓐ Ano fuku, sugu kaesu yakusoku datta ja nai?
- Ⓑ Datte, yogoshichatta kara kuriiningu ni dashiteru noyo.
- Ⓐ Usoo. Tonikaku hayaku kaeshite. Hitsuyoo dakara.

- Ⓐ Didn't you promise you'd return those clothes right away?
- Ⓑ But I got them dirty, so I sent them out to the cleaner's.
- Ⓐ No way! Please return them as soon as you can. I need them.

- Ⓐ 那件衣服不是说好了马上还吗？
- Ⓑ 因为弄脏了，送洗衣店了。
- Ⓐ 真的？ 总之快点还给我，我要用。

3
- Ⓐ このノート、来週まで借りてていい？
- Ⓑ え？ 今日返してもらえないの？
- Ⓐ **だって**、終わりまで写せなかったんだもの。

- Ⓐ Kono nooto, raishuu made karitete ii?
- Ⓑ E? Kyoo kaeshite moraenai no?
- Ⓐ **Datte**, owari made utsusenakatta n damono.

- Ⓐ Can I borrow your notebook until next week?
- Ⓑ What? You're not giving it back today?
- Ⓐ But I wasn't able to copy them to the end.

- Ⓐ 那个笔记到下周借我可以吗？
- Ⓑ 唉？ 今天还不了吗？
- Ⓐ 因为还没抄完呢。

80 だから、早めに予約しようって言ったのに！

Dakara, hayame ni yoyaku shiyoo tte itta noni!
(That's why I said to reserve early！／对不起，没想到这么有人气啊！)

だから — That's why ／ 所以

- Ⓐ お店、もう予約でいっぱいだって。がっかり。
- Ⓑ <u>だから</u>、早めに予約しようって言ったのに！
- Ⓐ ごめん。まさか、こんなに人気があるとは思わなかったんだよ。

- Ⓐ Omise, moo yoyaku de ippai datte. Gakkari.
- Ⓑ *Dakara*, hayame ni yoyaku shiyoo tte itta noni!
- Ⓐ Gomen. Masaka, konna ni ninki ga aru towa omowanakatta n dayo.

- Ⓐ The store said they're full and not taking any more reservations. Too bad.
- Ⓑ That's why I said to reserve early!
- Ⓐ I'm sorry. I never thought it was this popular of a store.

- Ⓐ 那个店已经订满了，真扫兴。
- Ⓑ 所以说让你早订。
- Ⓐ 对不起，没想到这么有人气啊！

意味・使う場面

自分の立場や事情を相手が理解するよう訴える表現です。前に一度言ったことをもう一度言うときに使うことが多いです。自己主張が入ったいばった感じがするので、丁寧な場面では使えません。

An expression used to attempt to make someone understand one's own position or situation. Often used when repeating something that was once said before. Sounds personal, and is not used in polite situations.

让对方理解自己的立场、状况的表现。多用于再次重复以前提过的事情。自我强调的感觉很强，郑重场合不使用。

基本パターン

<u>だから</u>＋［文（主張）］

1
- Ⓐ 困ったなあ。なんで忘れたのよ！
- Ⓑ **だから**、ごめんって謝ってるじゃない。
- Ⓐ 謝ってすむことじゃないよ。

Ⓐ *Komatta naa. Nande wasureta noyo!*
Ⓑ ***Dakara**, gomen tte ayamatteru ja nai.*
Ⓐ *Ayamatte sumu koto ja nai yo.*

- Ⓐ This is no good. Why'd you forget it?
- Ⓑ That's why I said sorry.
- Ⓐ Don't think that an apology is going to solve this.

- Ⓐ 怎么办啊！　你怎么忘了？
- Ⓑ 我不是道歉说对不起了吗？
- Ⓐ 道歉有什么用！

2
- Ⓐ このチケット買うのに４時間も並んだんだよ！
- Ⓑ **だから**、お昼おごるって言ってるじゃない。
- Ⓐ おいしいところじゃないとだめだからね。
- Ⓑ わかってるって。

Ⓐ *Kono chiketto kau noni 4-jikan mo naranda n dayo!*
Ⓑ ***Dakara**, ohiru ogoru tte itteru ja nai.*
Ⓐ *Oishii tokoro ja nai to dame dakara ne.*
Ⓑ *Wakatteru tte.*

- Ⓐ I stood in line for four hours to buy these tickets.
- Ⓑ That's why I told you I'd buy you lunch.
- Ⓐ It had better be somewhere tasty.
- Ⓑ Yeah, I know.

- Ⓐ 买这张票排了４个小时队啊！
- Ⓑ 所以我说中午请你吃饭的。
- Ⓐ 那一定去好吃的地方啊！
- Ⓑ 知道了！

3
- Ⓐ ごめん。これ、こわしちゃった。
- Ⓑ えー、ひどーい！　それ、すごく気に入ってたのに！
- Ⓐ 同じやつ買ってくるよ。**だから**、そんなに怒らないでよ。

Ⓐ *Gomen. Kore, kowashichatta.*
Ⓑ *Ee, hidooi! Sore, sugoku ki ni itteta noni!*
Ⓐ *Onaji yatsu kattekuru yo. **Dakara**, sonna ni okoranaide yo.*

- Ⓐ Sorry, I broke it.
- Ⓑ What, I can' believe you! It was so beautiful!
- Ⓐ I'll buy you another one, so don't get so mad.

- Ⓐ 对不起！　这个弄碎了。
- Ⓑ 唉！　碎得这么厉害！　那可是我特别喜欢的。
- Ⓐ 给你买个同样的。所以，你别那么生气啊。

81 いやになっちゃうな、もう

Iya ni nacchau na, moo
(Oh, I'm fed up with this ／真烦人啊)

もう

Ⓐ この計算、違ってますよ。
Ⓑ ほんとだ。いやになっちゃうな、**もう**。
Ⓐ それはこっちの言うことです。

Ⓐ This calculation is off.
Ⓑ You're right. Oh, I'm fed up with this.
Ⓐ I should be the one to say that.

Ⓐ 这个计算错了。
Ⓑ 真的。真烦人啊。
Ⓐ 这应该是我说的。

Ⓐ *Kono keesan, chigattemasu yo.*
Ⓑ *Honto da. Iya ni nacchau na, moo.*
Ⓐ *Sore wa kocchi no iukoto desu.*

意味・使う場面

この「もう」は「既に」という意味ではなく、自分の感情、特に「あきれた」とか不愉快な表現を強めるものです。文の中で、区切って強く発音します。

AThis「もう」does not mean "already," but is instead used to emphasize one's unhappy emotions, in particular the feeling of astonishment. Used separately from the rest of a sentence and is pronounced with emphasis.

这里的「もう」不是「既に／已经」的意思，而是强调自己的感情，特别是「あきれた／失望」不愉快的感情。

基本パターン

もう ＋ ［文（不愉快な気持ち・不満）］
［文（不愉快な気持ち・不満）］ ＋ もう

会話練習

1 Ⓐ それ、ぼくの傘だよ。
Ⓑ あ、ごめん。また間違えちゃった。
Ⓐ **もう**、気をつけてくれよ。しょっちゅう、こうなんだから。

Ⓐ *Sore, boku no kasa dayo.*
Ⓑ *A, gomen. Mata machigaechatta.*
Ⓐ ***Moo**, ki o tsukete kureyo, Shocchuu koo nan dakara.*

Ⓐ That's my umbrella.
Ⓑ Oops, I'm sorry. I messed up again.
Ⓐ Oh, please be more careful. This is always happening with you.

Ⓐ 那个，是我的雨伞啊！
Ⓑ 啊！ 对不起！ 又弄错了！
Ⓐ 要注意啊！ 你经常这样！

---

2 Ⓐ ちょっといい加減にしてよ。20分も遅刻じゃない。
Ⓑ ごめん、1時半だと思ったんだよ。
Ⓐ 手帳にちゃんと書いといてよ、**もう**。

Ⓐ *Chotto ii kagen ni shite yo. 20-ppun mo chikoku ja nai.*
Ⓑ *Gomen, 1-ji han dato omotta n dayo.*
Ⓐ *Techoo ni chanto kaitoite yo, **moo**.*

Ⓐ Could you get your act together already? You're twenty minutes later.
Ⓑ Sorry, I thought we were meeting at 1:30.
Ⓐ Oh, you need to be more careful when you write down times in your planner.

Ⓐ 你也太不像话了，迟到了20分钟啊！
Ⓑ 对不起，我以为是一点半开始呢！
Ⓐ 应该清楚地写在记事本上啊！

---

3 Ⓐ あ～あ、蚊に刺されちゃったよ。しかも、4か所。
Ⓑ だから、長袖着るように言ったのに。**もう**、そんな格好で！
Ⓐ だって暑いんだもん。

Ⓐ *Aaa, ka ni sasarechatta yo. Shikamo, 4-kasho.*
Ⓑ *Dakara, nagasode kiru yooni itta noni. **Moo**, sonna kakkoo de!*
Ⓐ *Datte atsui n damon.*

Ⓐ Ah, I was bit by mosquitoes. Four times, too.
Ⓑ That's why I said to wear long sleeves. Oh, just look at you!
Ⓐ But it's hot out.

Ⓐ 啊！被蚊子咬了！ 而且咬了4个地方。
Ⓑ 所以我说让你穿长袖衣服。看你穿的。
Ⓐ 因为好热啊！

82 は？　5名で予約したはずですが

Ha? 5-mee de yoyaku shita hazu desu ga
(Huh? The reservation should be for five ／什么？我预约的应该是5位啊)

は？／はあ？　　Huh?
　　　　　　　　什么？

Ⓐ お泊りは4名様ですね。
Ⓑ **は？**　5名で予約したはずですが。
Ⓐ 恐れ入ります。先月25日にお電話を頂戴して、4名様で伺っておりますが…。

Ⓐ *Otomari wa 4-mee sama desu ne.*
Ⓑ ***Ha?*** *5mee de yoyaku shita hazu desu ga.*
Ⓐ *Osore irimasu. Sengetsu 25-nichi ni odenwa o choodai shite, 4-mee sama de ukagatte orimasu ga.*

Ⓐ Four of you will be staying here tonight, is that correct?
Ⓑ Huh? The reservation should be for five.
A : My apologies, but we were told four during a phone conversation last month...

Ⓐ 住宿的是4位吧。
Ⓑ 什么？　我预约的应该是5位啊。
Ⓐ 对不起。上个月25号接到您的电话，说是4位。

意味・使い場面
相手の言うことがわからないときや納得できないときに聞き返す言い方です。聞き返すとき、「え？」を使うこともありますが、「は、はあ」のほうが丁寧です。

Used to ask someone to repeat something when you don't understand or can't agree with it.「え？」is also used to ask someone to repeat something, but「は、はあ」is more polite.
用于对对方说的事不明白或不理解时的回应。也用「え？」，用「は、はあ」比较客气。

基本パターン　(相手の発言に疑問を感じて) **は？／はあ？**

会話練習

1 Ⓐ 来月の1日に会合を開きます。
Ⓑ **はあ？**
Ⓐ あ、失礼しました。来月の11日です。

Ⓐ *Raigetsu no tsuitachi ni kaigoo o hirakimasu.*
Ⓑ *Haa?*
Ⓐ *A, shitsuree shimashita. Raigetsu no 11-nichi desu.*

Ⓐ We will be holding a meeting on the first of next month.
Ⓑ Huh?
Ⓐ Ah, excuse me. The eleventh of next month.

Ⓐ 下个月1号聚会。
Ⓑ 什么？
Ⓐ 啊！抱歉，是下个月11号。

---

2 Ⓐ ご注文は300ですね。
Ⓑ **は？** 確か350でお願いしたと思いますけど。
Ⓐ あ、もう一度確認します。

Ⓐ *Gochuumon wa 300 desu ne.*
Ⓑ *Ha? Tashika 350 de onegai shita to omoimasu kedo.*
Ⓐ *A, moo ichido kakunin shimasu.*

Ⓐ The order is for 300, correct?
Ⓑ Huh? I believe I asked for 350.
Ⓐ Ah, let me check again.

Ⓐ 您订的是300个吧。
Ⓑ 什么？我记得确实是350个啊。
Ⓐ 啊！那我再确认一下。

---

3 Ⓐ 失礼ですが、この大学の学生さんですか。
Ⓑ **は？** そうですが。
Ⓐ 大学の正門はどちらでしょう？ ここは裏門のようですが。

Ⓐ *Shitsuree desu ga, kono daigaku no gakusee san desu ka.*
Ⓑ *Haa? Soo desu ga.*
Ⓐ *Daigaku no seemon wa dochira deshoo? Koko wa uramon no yoo desu ga.*

Ⓐ Excuse me, are you a student of this University?
Ⓑ Huh? Yes, why?
Ⓐ Where are the front gates of the school? These seem to be the rear gates.

Ⓐ 请问，你是这个大学的学生吗？
Ⓑ 啊？对啊。
Ⓐ 大学的正门在哪儿？ 这儿好像是后门。

149

⑧ 驚き・感心　83〜85

83 よくそんなことが言えるなあ

Yoku sonna koto ga ieru naa
(I can't believe you'd say that ／亏你还说出口啊)

| よく | I can't believe / 没有具体的意思 |

Ⓐ ねえ、悪いんだけど、5千円貸してくれない？
Ⓑ 何言ってんのよ。**よく**そんなことが言えるわね。まだ2万円返してないくせに。
Ⓐ ほんと、ピンチなんだ。頼むよ。

Ⓐ *Nee, warui n dakedo, 5-sen'en kashite kurenai?*
Ⓑ *Nani itte n no yo.* **Yoku** *sonna koto ga ieru wa ne. Mada 2-man'en kaeshitenai kuseni.*
Ⓐ *Honto, pinchi nanda. Tanomu yo.*

Ⓐ Hey, sorry, but can I borrow 5,000 yen?
Ⓑ Excuse me? I can't believe you'd say that when you still haven't paid me back that 20,000 yen.
Ⓐ I'm really in a tight spot. Please?

Ⓐ 唉！不好意思，借5千日元给我行吗？
Ⓑ 你说什么？亏你还说出口啊！借你的2万日元还没还呢！
Ⓐ 真是急需啊！求求你！

意味・使う場面
この「よく」は「よくできた」と褒めるのでなく、意外な感じや感心する気持ちを示すのに使われます。驚きだけでなく、非難の場合もあります。

This「よく」is not used as appraise, but instead to indicate an unexpected feeling or feelings of amazement. Used to criticize people as well as to indicate surprise.

这里的「よく」不是「よくできた」表扬的意思，是表示意外或感叹的语气。不仅是用于惊讶，也用于责怪。

基本パターン
よく ＋ ［V（意外なこと・感心すること）］
＊動詞は可能を表すものが多い（例：できる、わかる、見える、聞こえる）

1

Ⓐ 突然おじゃまして、申し訳ない。
Ⓑ いいけど。でも、**よく**ここがわかったね。
Ⓐ 何度も人に聞いたよ。

Ⓐ Totsuzen ojama shite, mooshiwakenai.
Ⓑ Ii kedo. Demo, **yoku** koko ga wakatta ne.
Ⓐ Nando mo hito ni kiita yo.

Ⓐ I'm sorry for dropping in on you so suddenly.
Ⓑ Not at all. I can't believe you found this place, though.
Ⓐ I had to ask a lot of people.

Ⓐ 突然打搅，实在抱歉。
Ⓑ 哪里哪里，不过，你是怎么找到这里的？
Ⓐ 问了好几个人啊。

2

Ⓐ ああ、やっと終わった。講義が３つも続くと疲れるな。
Ⓑ **よく**言うよ。ほとんど寝てたくせに。
Ⓐ そんなに寝てないよ。半分はちゃんと聞いてたよ。

Ⓐ Aa, yatto owatta. Koogi ga mittsu mo tsuzuku to tsukareru na.
Ⓑ **Yoku** iu yo. Hotondo neteta kuseni.
Ⓐ Sonna ni netenai yo. Hanbun wa chanto kiiteta yo.

Ⓐ Ah, I'm finally done. Three classes in a row is tiring.
Ⓑ I can't believe you'd say that. You were sleeping through most of them.
Ⓐ I wasn't sleeping that much. I heard at least half of what was said.

Ⓐ 啊！终于完了！ 连续听了三个讲义实在是太累了。
Ⓑ 亏你还说出口，你基本上都在睡觉。
Ⓐ 没睡那么长啊！ 认真听了一半呢！

3

Ⓐ 先ほどファックスをお受け取りして、ご注文を承りました。
Ⓑ あんな書き方で**よく**わかりましたね。
Ⓐ はい、慣れておりますので。

Ⓐ Sakihodo fakkusu o ouke tori shite, gochuumon o uketamawarimashita.
Ⓑ Anna kakikata de **yoku** wakarimashita ne.
Ⓐ Hai, nareteorimasu node.

Ⓐ Your fax just arrived and we have accepted your order.
Ⓑ I can't believe you're able to decipher what I sent.
Ⓐ Well, we're used to it.

Ⓐ 刚才收到了传真，您预定的都订好了。
Ⓑ 写成那样也能看懂啊。
Ⓐ 是的，已经习惯了。

84 まったく、近頃の学生は勝手ですね

<u>Mattaku</u>, chikagoro no gakusee wa katte desu ne
(Honestly, students these days think they can do whatever they want
／的确是啊！ 最近的学生真太为所欲为了)

まったく — honestly
実在，的确，真的

Ⓐ 期限後にレポートを郵送してくるのがいるから、困ったもんだ。
Ⓑ **まったく**、近頃の学生は勝手ですね。
Ⓐ そうそう。教師も楽じゃないよ。

Ⓐ Kigen go ni repooto o yuusoo shitekuru no ga iru kara, komatta mon da.
Ⓑ <u>Mattaku</u>, chikagoro no gakusee wa katte desu ne.
Ⓐ Soosoo. Kyooshi mo raku ja nai yo.

Ⓐ Honestly, what am I supposed to make of students mailing me their reports after the deadline is up?
Ⓑ Honestly, students these days think they can do whatever they want.
Ⓐ Exactly. They ought to know it's not easy being a teacher.

Ⓐ 提交期限过了还有人寄来报告，真让人为难啊！
Ⓑ 的确是啊！ 最近的学生真太为所欲为了。
Ⓐ 是啊。当老师的也不轻松啊。

意味・使う場面　「まったく」には「全部」の意味もありますが、ここでは「驚いた」あるいは「あきれた」という感情を表すのに使われています。

「まったく」also means "all," but in this case it is used to express feelings of shock or astonishment.
「まったく」有「全部／全部，都」的意思，这里用于表达「驚いた／吃惊」或「あきれた／失望」的感情。

基本パターン
（驚き、あきれて）　［不満を表す文］＋ **まったく**
まったく ＋ ［不満を表す文］

会話練習

PART2 ●目的別でとらえる基本表現

1. Ⓐ またおこづかい？ 先週渡したばかりじゃない。
   Ⓑ あれはもう、ゲームソフト買うのに使っちゃったんだ。
   Ⓐ **まったく**。親に甘えるのもいい加減にして、アルバイトでもしなさい。

   Ⓐ Mata okozukai? Senshuu watashita bakari ja nai.
   Ⓑ Are wa moo, geemu sofuto kau noni tsukacchatta n da.
   Ⓐ *Mattaku*. Oya ni amaeru nomo ii kagen ni shite, arubaito demo shinasai.

   Ⓐ You want more spending money? I just gave you some last week.
   Ⓑ But I already used it to buy a video game.
   Ⓐ Honestly, stop relying on your parents to spoil you and get a job.

   Ⓐ 又要零花钱了？ 上个星期不是刚给过你吗？
   Ⓑ 买游戏软件时已经用光了。
   Ⓐ 真不像话，不要依靠父母，自己去打打工什么的！

2. Ⓐ 誰だ、こんな夜中に電話かけてきて！
   Ⓑ あ、切れたね。
   Ⓐ なんだ、間違い電話か…。**まったく！**

   Ⓐ Dareda, konna yonaka ni denwa kaketekite!
   Ⓑ A, kireta ne.
   Ⓐ Nanda, machigai denwa ka…. *Mattaku!*

   Ⓐ Who would call us in the middle of the night?
   Ⓑ Oh, they hung up.
   Ⓐ A wrong number…? Honestly!

   Ⓐ 谁啊！ 这么深更半夜打电话！
   Ⓑ 啊，挂断了。
   Ⓐ 什么，是打错了…。真是的。

3. Ⓐ あ〜、バス、行っちゃった！
   Ⓑ 目の前で行っちゃうなんて、悔しいなあ。この次は？
   Ⓐ 1時間先だって。**まったく！**

   Ⓐ Aa, basu, icchatta!
   Ⓑ Me no mae de icchau nante, kuyashii naa. Kono tsugi wa?
   Ⓐ 1-jikan saki datte. *Mattaku!*

   Ⓐ Ah, there goes the bus!
   Ⓑ It hurts when the bus leaves in front of your eyes. When is the next one?
   Ⓐ An hour from now. Honestly!

   Ⓐ 啊，公共汽车开走了！
   Ⓑ 眼看着开走了，太气人了！ 下班是？
   Ⓐ 一个小时后，真倒霉！

153

85 これは**また**、どうしたんですか、二人で？

Kore wa mata, dooshita n desu ka, futari de?
(What's this again, you two？／这是怎么回事？ 你们两个人？)

また　　Feelings of surprise or shock
吃惊或放弃的语气

Ⓐ これは**また**、どうしたんですか、二人で？
Ⓑ 実は私たち、結婚することになったんです。そのご挨拶に参りました。
Ⓐ えっ、それは驚いた！

Ⓐ *Kore wa mata, dooshita n desu ka, futari de?*
Ⓑ *Jitsuwa watashitachi, kekkon suru koto ni natta n desu. Sono goaisatsu ni mairimashita.*
Ⓐ *Ett, sore wa odoroita!*

Ⓐ What's this again, you two?
Ⓑ Actually, the two of us are going to get married. We're here to let you know.
Ⓐ What?! What a surprise!

Ⓐ 这是怎么回事？ 你们两个人？
Ⓑ 是这样的，我们结婚了！ 来问候您的。
Ⓐ 唉？ 这太让我吃惊了！

意味・使う場面　「また」には、感情的・会話的な表現として、「驚いた、あきれた」という気持ちを表すことがあります。この場合、「再び」という意味はほとんどありません。

> 「また」can be used as an emotional phrase in conversation to express surprise or astonishment. In these situations, it barely contains any sense of "once again."
>
> 「また」作为感情的、会话的表现，表示「驚いた／吃惊、あきれた／腻烦」。这种场合几乎没有「再び／再次」的意思。

基本パターン　　**また** ＋ ［文（驚き・あきれた気持ち・疑問）］

会話練習　　　　　　　　　　PART2 ●目的別でとらえる基本表現

1 Ⓐ **また**、ずいぶんたくさん買ってきたね。
　Ⓑ どれくらいが適当なのか、全然わからなくて。
　Ⓐ まあ、残ったら、持って帰ればいいけどね。

Ⓐ You've bought quite a lot again.
Ⓑ I don't have any idea how much is the right amount.
Ⓐ Well, you can always take some home if there's any left over.

Ⓐ *Mata*, zuibun takusan katte kita ne.
Ⓑ Dorekurai ga tekitooo nano ka, zenzen wakaranakute.
Ⓐ Maa, nokottara, mottekaereba ii kedo ne.

Ⓐ 又买了这么多啊。
Ⓑ 多少合适，真不知道。
Ⓐ 那，剩下了，你就拿回去吧。

2 Ⓐ なんか、幽霊が出てきそうだね。
　Ⓑ **また**、変なこと言わないでよ。私、そういうの苦手なんだから。

Ⓐ It seems like a ghost might appear or something.
Ⓑ Don't say such strange things again. I don't deal with them well.

Ⓐ 好像有鬼。
Ⓑ 又来了，别胡说！　我怕鬼。

Ⓐ *Nanka, yuuree ga detekisoo da ne.*
Ⓑ *Mata, henna koto iwanaide yo. Watashi, sooiu no negate na n da kara.*

3 Ⓐ なんで**また**、今ごろになって返すの？
　Ⓑ 借りたまま忘れてたんだ。ごめん。
　Ⓐ もう、いいよ。こんな古い雑誌。

Ⓐ Why are you returning it now of all times, again?
Ⓑ I'd forgotten that I borrowed it. I'm sorry.
Ⓐ It's fine, I don't need this old magazine.

Ⓐ *Nande mata, ima goro ni natte kaesu no?*
Ⓑ *Karita mama wasureteta n da. Gomen.*
Ⓐ *Moo, iiyo. Kona furui zasshi.*

Ⓐ 怎么现在想起还了？
Ⓑ 借了一直忘还了。对不起。
Ⓐ 行了，不用还了。这么旧的杂志。

4 Ⓐ これは**また**見事な作品だね。
　Ⓑ ほんと。2年がかりで作ったんだって。

Ⓐ Again, a wonderful piece.
Ⓑ It really is. Apparently it took two years to make.

Ⓐ *Kore wa mata migotona sakuhin da ne.*
Ⓑ *Honto. 2-nen gakaride tsukutta n da tte.*

Ⓐ 这又是一个杰出的作品啊。
Ⓑ 是啊！听说花了两年时间完成。

155

C 相手に働きかける ①ほめる・評価する・励ます　86〜97

86 森さんには感心する
Mori san niwa kanshin suru
(I'm impressed by Mori-san／真佩服小森啊)

感心する　　　impressed
かんしん　　　佩服

Ⓐ 森さんには**感心する**。
Ⓑ なんで？
Ⓐ 毎晩必ず、国のお母さんに電話するんだって。
Ⓑ そうか。確か、彼女は親一人、子一人だったからね。

Ⓐ Mori-san niwa *kanshin suru*.
Ⓑ Nande?
Ⓐ Maiban kanarazu kuni no okaasan ni denwa suru n datte.
Ⓑ Sooka. Tashika, kanojo wa oya hitori, ko hitori datta kara ne.

Ⓐ I'm impressed by Mori-san.
Ⓑ Why?
Ⓐ She makes sure to call her mother back in her home country every night.
Ⓑ I see. Now that I think of it, she was a single child with a single parent, right?

Ⓐ 真佩服小森啊。
Ⓑ 为什么？
Ⓐ 听说每天晚上都给老家的母亲打电话。
Ⓑ 是吗。她确实是单亲子女啊。

▶ 相手のしたことを称賛するときの表現です。「えらい／上手だ」などは相手を子供扱いしたように聞こえますが、「感心しました」なら使えます。

Used when praising something someone else has done. 「えらい／上手だ」and so on may sound like you are treating someone like a child, but 「感心しました」can be used without this issue.

表示赞成对方，用「えらい／上手だ」有种表扬小孩子的感觉，用「感心しました」可以。

| 基本パターン | Nには／Vて ＋ **感心する** |

1 Ⓐ これ、ほんとに青木さんが作ったの？
Ⓑ まあ、ごくごく簡単な料理だから。
Ⓐ **感心した**よ、ほんと。すごくおいしい。

Ⓐ Kore, honto ni Aoki-san ga tsukutta no?
Ⓑ Maa, gokugoku kantanna ryoori dakara.
Ⓐ *Kanshin shita* yo, honto. Sugoku oishii.

Ⓐ Did you really make this, Aoki-san?
Ⓑ Well, it's a very simple recipe.
Ⓐ I'm impressed, really. It's delicious.

Ⓐ 这个，真是青木做的？
Ⓑ 啊，很简单的菜。
Ⓐ 真佩服你啊！真的非常好吃。

87 連続勝利、素晴らしいね

Renzoku shoori, subarashii ne
(Back-to-back wins. Isn't that wonderful?／接连赢，真了不起啊！)

素晴らしい wonderful
了不起、精彩

- ⓐ 連続勝利、素晴らしいね。
- ⓑ うん。うちのチーム、今度はよくやったね。
- ⓐ 期待以上の成果だよ。

- ⓐ Back-to-back wins. Isn't that wonderful?
- ⓑ Yes, our team did a great job this time.
- ⓐ They exceeded my expectations.

- ⓐ 接连赢，真了不起啊！
- ⓑ 嗯。我们队这次打得很好啊！
- ⓐ 超出想像的结果啊。

- ⓐ *Renzoku shoori, subarashii ne.*
- ⓑ *Un. Uchi no tiimu, kondo wa yoku yatta ne.*
- ⓐ *Kitai ijoo no seeka dayo.*

▶ 景色や人の作品などを褒める表現です。率直な力強い言い方で、広く使うことができます。同じような言葉で、「すてき」は女性的、「すごい」はくだけた感じです。

Used to praise scenery, something created by someone, and so on. A strong and direct word that can be broadly used. A similar word that sounds feminine is 「すてき」 while a more informal version is

用于赞美风景及作品。语气比较直率且较强，广泛使用。女性常用类似的「すてき」，「すごい」是比较随意的说法。

基本パターン　N（褒める対象）（は）＋ **素晴らしい**

---

1. ⓐ 山田さんのかいた絵、素晴らしかったよ。
   ⓑ 何かに入賞したりしたの？
   ⓐ それは知らないけど、見て感動するものがあった。

   ⓐ *Yamada san no kaita e, subarashikatta yo.*
   ⓑ *Nani ka ni nyuushoo shitari shita no?*
   ⓐ *Sore wa shiranai kedo, mite kandoo suru mono ga atta.*

   ⓐ Yamada-san's art is wonderful.
   ⓑ Didn't it win some sort of prize?
   ⓐ I don't know, but it moved me.

   ⓐ 山田的画儿画得真棒啊！
   ⓑ 得什么奖了吗？
   ⓐ 那不知道，不过看了有种感动。

88 こんな賞をもらうなんて、大したもんだ

Konna shoo o morau nante, *taishita mon da*
(It's impressive that he was able to receive a prize like this one ／得了这样的奖，真了不起啊)

大したものだ／大したもんだ　impressive 了不起

Ⓐ 彼に絵の才能があったとは、知らなかったな。

Ⓑ うん。こんな賞をもらうなんて、**大したもんだ**。

Ⓐ *Kare ni e no sainoo ga atta towa, shiranakatta na.*
Ⓑ *Un. Konna shoo o morau nante, **taishita mon da**.*

Ⓐ I never knew he had a knack for art.
Ⓑ Yes. It's impressive that he was able to receive a prize like this one.

Ⓐ 真不知道他有画画儿的才能啊。
Ⓑ 是啊。得了这样的奖，真了不起啊！

▶ 人の作品や行動などを褒める表現です。主に年齢や立場などが自分と同じか下の人について使われ、目上を褒めるのには適しません。

Used to praise someone's work or actions. Mostly used by older people to speak of people their age or younger, and cannot be used to praise someone who is your superior.

用于表扬别人的作品、行为。主要用于表扬跟自己地位、年龄相同或比自己低的人。对年长者不适合用。

基本パターン	N（褒める対象）＋（は） Vる＋とは／なんて	＋ **大したものだ**

1 Ⓐ〈パーティーで〉このケーキは原さんが焼いたの？

Ⓑ そう。ちょっと形が変になっちゃったけど。

Ⓐ いやあ、すごくうまいよ。**大したもんだ**。

Ⓐ *〈Paatii de〉Kono keeki wa Hara san ga yaita no?*
Ⓑ *Soo. Chotto katachi ga hen ni nacchatta kedo.*
Ⓐ *Iyaa, sugoku umai yo. **Taishita mon da**.*

Ⓐ (At a party) Did you bake this cake, Hara-san?
Ⓑ Yes. It came out looking a little odd.
Ⓐ No, it's delicious. How impressive.

Ⓐ（派对上）这个蛋糕是原小姐做的？
Ⓑ 是啊。形状有点儿怪怪的。
Ⓐ 哎呀，真好吃啊。真了不起！

89 すごいニュース！
Sugoi nyuusu!
（what amazing news!／不得了的新闻！）

すごい — amazing／了不起、不得了

Ⓐ 聞いて、**すごい**ニュース！
Ⓑ 田中さんの「すごい」は当てにならないからなあ。
Ⓐ 課長がついに結婚するんだって！相手は知らない人だけど。

Ⓐ Kiite, *sugoi* nyuusu!
Ⓑ Tanaka san no 'sugoi' wa ate ni naranai kara naa.
Ⓐ Kachoo ga tsuini kekkon suru n datte! Aite wa shiranai hito dakedo.

Ⓐ Listen, I have amazing news!
Ⓑ You say that anything is amazing, Tanaka-san.
Ⓐ The section chief is finally getting married! I don't know who the person he's marrying is, though.

Ⓐ 来听啊！重大新闻！
Ⓑ 田中的"不得了"不能当真啊！
Ⓐ 听说科长终于结婚了！不过对方不知

▶ 人の行動や作品、景色など、広く褒めるのに使われます。感動や興奮とともに手放しで褒めるという感じで、改まった場面や丁寧な会話には合いません。

AUsed broadly to praise a person's actions or work, scenery, and so on. Give san impression of being moved and excited, and is therefore not used in formal situations or polite conversations.

用于广泛表扬人的行为、作品等。有种感动、兴奋的感觉。不适合用于郑重的场合和客气的会话。

基本パターン	N（褒める対象） ＋（は） Ｖる ＋（とは／なんて）	＋ **すごい**

---

1 Ⓐ 川島さんのお姉さん、歌手でCD出してるんだって。
Ⓑ へー、**すごい**なあ。そう言えば、彼女も声、いいもんね。

Ⓐ *Kawashima san no oneesan, kashu de CD dashiteru n datte.*
Ⓑ *Hee, sugoi naa. Sooieba, kanojo mo koe, ii mon ne.*

Ⓐ I heard that Kawashima-san's older sister is a singer with her own CDs.
Ⓑ Wow, that's amazing. Now that you mention it, she does have a good voice.

Ⓐ 听说川岛的姐姐是歌手，正在出 CD 呢。
Ⓑ 哎一，真了不起啊！ 怪不得，她的声音也很好啊。

90 これはなかなかいい

Kore wa nakanaka ii
(This is quite good／这个菜相当不错)

なかなか quite 相当

Ⓐ これはなかなかいい。ほかにない味だ。
Ⓑ そうですか。ありがとうございます。
Ⓐ うん、これなら間違いなく売れるよ。

Ⓐ This is quite good. It has a unique flavor.
Ⓑ Does it? Thank you very much.
Ⓐ Yes, I'm sure you could sell this.

Ⓐ 这个菜相当不错。独特的味道。
Ⓑ 是吗？ 谢谢！
Ⓐ 嗯，这一定能卖出去。

Ⓐ Kore wa nakanaka ii. Hoka ni nai aji da.
Ⓑ Soo desu ka. Arigatoo gozaimasu.
Ⓐ Un, korenara machigai naku ureru yo.

意味・使う場面
「程度が予想を超え、かなりだ」という意味で、注目や評価をする気持ちを表します。理性的な落ち着いた感じがありますので、改まった場面や丁寧な会話でも使うことができます。

A term used to indicate one's attention or evaluation of something being "fairly so, exceeding regular expectations." The term sounds calm and logical, and can be used in formal situations or polite conversations.

有程度超出预想的意思，表示受注目或评价高，给人一种有理性很稳重的感觉，郑重的场合、有礼貌的会话场合均可使用。

基本パターン なかなか ＋［Ａ／ＮＡだ／Ｖている］

会話練習

1. Ⓐ あの店、**なかなか**繁盛してるね。
   Ⓑ うん、品揃えがいいんだって。
   Ⓐ 一度行ってみようか。

   Ⓐ Ano mise, **nakanaka** hanjoo shiteru ne.
   Ⓑ Un, shinazoroe ga ii n datte.
   Ⓐ Ichido itte miyoo ka.

   Ⓐ That store is quite prosperous.
   Ⓑ Yes, I hear it has a good selection.
   Ⓐ Why don't we try going some time?

   Ⓐ 那家店相当兴隆啊。
   Ⓑ 嗯，听说商品很齐全。
   Ⓐ 什么时候去看看吧。

2. Ⓐ 安田さんって、しっかりしてますね。
   Ⓑ うん。見た感じはおとなしそうだけど。
   Ⓐ 言うことは**なかなか**厳しいんですよね。

   Ⓐ Yasuda-san tte, shikkari shitemasu ne.
   Ⓑ Un. Mita kanji wa otonashi soo dakedo.
   Ⓐ Iukoto wa **nakanaka** kibishii n desuyo ne.

   Ⓐ Yasuda-san is very well-composed, isn't she?
   Ⓑ Yes. She looks meek, though.
   Ⓐ She can be quite unforgiving with her words.

   Ⓐ 安田很精明强干啊。
   Ⓑ 嗯。看上去挺老实的。
   Ⓐ 说话口吻很严厉啊！

3. Ⓐ 青木さん、似顔絵、**なかなか**うまいなあ。
   Ⓑ ほんと。コーチのあごの辺りなんか、そっくり。
   Ⓐ 私もこれくらいうまくかけたらいいな。

   Ⓐ Aoki-san, nigaoe, **nakanaka** umai naa.
   Ⓑ Honto. Koochi no ago no atari nanka, sokkuri.
   Ⓐ Watashi mo korekurai umaku kaketara iina.

   Ⓐ Aoki-san's portraits are quite good.
   Ⓑ Aren't they? He has the coach's jaw down perfectly.
   Ⓐ I hope mine turns out well.

   Ⓐ 青木的肖像画画得相当不错啊。
   Ⓑ 真的。教练的下巴画得真像。
   Ⓐ 我也能画这么好就好了。

91 わりと易しかったよ

Warito yasashikatta yo
(They were fairly easy ／比较简单啊)

わりと
Fairly
比较

Ⓐ 期末試験、どうだった？
Ⓑ **わりと**易しかったよ。ほとんど書けた。

Ⓐ How were your final exams?
Ⓑ They were fairly easy. I was able to fill most of it in.

Ⓐ 期末考试怎么样？
Ⓑ 比较简单啊。基本上都写上了。

Ⓐ Kimatsu shiken, doodatta?
Ⓑ **Warito** yasashikatta yo. Hotondo kaketa.

▶ 「割合に」よりくだけた言い方で、「かなり」と同じような意味で使われます。「予想以上だ、ほかと比べていい」などの見方を伴います。くだけた感じで、丁寧な場面では使われません。

A A more casual way to say「割合に」, it has the same meaning as "rather" or "quite." Also includes connotations of "Moreso than expected, better when compared to others." It is a casual term and is not used in polite settings.

是「割合に」的一种很随便的说法，与「かなり」有同样的意思。有着「预想以上だ、ほかと比べていい／超出预想、比别的好」的语气。给人的感觉很随便，正式场合不使用。

基本パターン　**わりと** ＋ ［A／NAだ／Vている］

1 Ⓐ 今度のバイト、長続きしてるね。
Ⓑ うん、**わりと**働きやすいんだ。
Ⓐ へえ、よかったね。

Ⓐ Kondo no baito, nagatsuzuki shiteru ne.
Ⓑ Un, **warito** hataraki yasui n da.
Ⓐ Hee, yokatta ne.

Ⓐ You've been at your current part-time job for a while.
Ⓑ Yes, it's a fairly nice place to work.
Ⓐ Huh, that's good.

Ⓐ 这次的打工持续的时间很长啊。
Ⓑ 嗯。这个活儿挺好干的。
Ⓐ 是吗，那太好了！

2 Ⓐ この旅行会社にしようか。
Ⓑ ここ、サービスはいいの？
Ⓐ **わり**といいよ。それに、ほかより安い。

Ⓐ Kono ryokoo gaisha ni shiyoo ka.
Ⓑ Koko, saabisu wa ii no?
Ⓐ **Warito** ii yo. Soreni, hoka yori yasui.

Ⓐ Why don't we go with this travel agency.
Ⓑ Do they have good service?
Ⓐ It's fairly good. Also, they're cheaper than the rest.

Ⓐ 订这家旅行社吧。
Ⓑ 这儿服务好吗？
Ⓐ 比较好。还比其他的便宜。

92 駅から案外、遠いんだね

Eki kara **angai** tooi n da ne

(This is surprisingly far from the station／没想到离车站还挺远的啊)

案外（あんがい） surprisingly／意外

Ⓐ 急がないと間に合わないよ。
Ⓑ うん…。駅から**案外**、遠いんだね。
Ⓐ しょうがない。走ろうか。

Ⓐ Isoganai to ma ni awanai yo.
Ⓑ Un….Eki kara **angai** tooi n da ne.
Ⓐ Shooganai. Hashiroo ka.

Ⓐ We need to hurry or else we won't make it in time.
Ⓑ Okay... This is surprisingly far from the station.
Ⓐ There's nothing we can do about that. Let's run.

Ⓐ 不快点儿就来不及了！
Ⓑ 嗯…。没想到离车站还挺远的啊。
Ⓐ 没办法。走吧！

▶「思っていたのと違って」という意味で、よい場合にも悪い場合にも使います。
Means "contrary to expectations," and can be used in both good and bad situations.
有「与想像不同」的意思，好的场面坏的场面都使用。

基本パターン　　**案外** + ［A／NAだ／Vている］

---

1 Ⓐ あの子、派手な服装してるけど、おとなしいんだね。
　Ⓑ うん、考えてることは**案外**、地味だね。

Ⓐ Ano ko, hadena fukusoo shiteru kedo, otonashii n dane.
Ⓑ Un, kanagaeteru koto wa **angai**, jimi dane.

Ⓐ That girl may wear flashy clothes, but she's actually well behaved.
Ⓑ Yes, she's surprisingly plain compared to what you may think.

Ⓐ 她穿的很时髦，但很老实啊！
Ⓑ 嗯！想法也比想像的保守啊！

---

2 Ⓐ 暑いなあ。体が溶けちゃうよ。
　Ⓑ なるべく日陰を歩こう。
　Ⓐ あ、大通りは**案外**楽だ。
　Ⓑ この辺、ずっと大きな木が立ってるからね。

Ⓐ Atsui naa. Karada ga tokechau yo.
Ⓑ Narubeku hikage o arukoo.
Ⓐ A, oodoori wa angai raku da.
Ⓑ Kono hen, zutto ookina ki ga tatteru kara ne.

Ⓐ It's hot out. I feel like I'm going to melt.
Ⓑ Let's try to walk in the shade.
Ⓐ Oh, it's surprisingly not too bad on this big street.
Ⓑ There are a lot of big trees around this area.

Ⓐ 真热啊！身体都要烤化了！
Ⓑ 尽可能在阴凉处走吧。
Ⓐ 啊！大道比想像的要好得多啊！
Ⓑ 因为这一带，树都很大。

② 確認を促す・相手を促す　93～97

93 おい、早く行こうぜ

Oi, hayaku ikoo ze
(Hey, let's hurry it up ／ 喂！ 快走吧)

～ぜ　　　Draw someone's interest
引起对方的关注

- Ⓐ おい、早く行こう<u>ぜ</u>。みんな待ってるんだから。
- Ⓑ ごめん、先行っててくれ。
- Ⓐ しょうがないなあ。あんまり遅れんなよ。

- Ⓐ Hey, let's hurry it up. Everyone's waiting.
- Ⓑ Sorry, go ahead of me.
- Ⓐ Fine, but don't be too late.

- Ⓐ 喂！ 快走吧！ 大家都在等着呢！
- Ⓑ 对不起，你们先走吧！
- Ⓐ （没办法），那别太晚了！

- Ⓐ *Oi, hayaku ikoo ze. Minna matteru n dakara.*
- Ⓑ *Gomen, saki itete kure.*
- Ⓐ *Shooganai naa. Anamri okure n na yo.*

▶ 文の終わりに付けて相手の関心を引きます。「よ」と似ていますが、これはくだけた場合の表現で、主に男性同士で使われる言葉です。

Used at the end of a sentence to grab someone's attention. Similar to 「よ」, but this is a casual expression mostly used among ment.

用于句子后引起对方的注意。与「よ」相似，是比较随便（非正式）的说法，主要用于男士之间的会话。

基本パターン	［文の終わり］＋ **ぜ**

1.
   - Ⓐ 大変そうだね。
   - Ⓑ 大変だよ。ここの担当、俺一人なんだ<u>ぜ</u>。
   - Ⓐ 一人!? それはきついね。

   - Ⓐ Seems tough.
   - Ⓑ It is tough. I'm the only one taking care of this.
   - Ⓐ You're alone? That's rough.

   - Ⓐ 好像很辛苦啊。
   - Ⓑ 是啊！ 负责这里的只我一个人啊！
   - Ⓐ 就一个人？ 那太辛苦了！

   - Ⓐ *Taihen soo da ne.*
   - Ⓑ *Taihen dayo. Koko no tantoo, ore hitori nan da ze.*
   - Ⓐ *Hitori!? Sore wa kitsui ne.*

94 あとで怒られても知らないぞ

Ato de okoraretemo shiranai **zo**
(Don't blame me if he gets mad at you later ／那过后唉骂我可不管啊！)

～ぞ　　　　　　　　　　啊！

- Ⓐ え？　そのこと店長にまだ言ってないの？
- Ⓑ そうなのよ。言い出しにくくて。
- Ⓐ あとで怒られても知らない**ぞ**。

- Ⓐ E? Sono koto tenchoo ni mada ittenai no?
- Ⓑ Soo na no yo. Ii dashi nikukute.
- Ⓐ Ato de okoraretemo shiranai **zo**.

- Ⓐ What? You still haven't told the manager about it?
- Ⓑ Yes, it's hard for me to bring it up.
- Ⓐ Don't blame me if he gets mad at you later.

- Ⓐ 唉？　那件事还没跟店长说？
- Ⓑ 是啊！　难说出口啊。
- Ⓐ 那过后唉骂我可不管啊！

▶ 文の終わりに付けて強調を表し、相手の関心を引きます。男性の用語で、くだけた印象は「ぜ」に似ています。

Added at the end of a sentence for emphasis and to grab someone's attention. A male term similar to 「ぜ」 in its degree of informality.

用于句末表示强调，引起对方的关心。是男性用语，语感与「ぜ」相似。

基本パターン　［文の終わり］＋**ぞ**

1
- Ⓐ 川口君がやめるって？
- Ⓑ そうらしいのよ。
- Ⓐ そりゃ大変だ。彼がいなくなったら困る**ぞ**。

- Ⓐ Kawaguchi-kun ga yameru tte?
- Ⓑ Soo rashii no yo.
- Ⓐ Sorya taihen da. Kare ga inaku nattara komaru **zo**.

- Ⓐ Kawaguchi-kun is quitting?
- Ⓑ Sounds like it.
- Ⓐ That's awful to hear. It'll be hard without him around.

- Ⓐ 听说川口不干了？
- Ⓑ 好像是啊！
- Ⓐ 那糟了！　没他不行啊！

2
- Ⓐ 早く出ないと間に合わない**ぞ**。
- Ⓑ まだ大丈夫でしょ？

- Ⓐ Hayaku denai to ma ni awanai **zo**.
- Ⓑ Mada daijoobu desho?

- Ⓐ We won't make it if we don't hurry up and leave.
- Ⓑ Don't we still have time?

- Ⓐ 不快点儿走就来不及了！
- Ⓑ 还来得及吧？

95 しっかり謝ったほうがいいよ

Shikkari ayamatta hoo ga ii yo
(You should get it together and apologize to him ／应该好好道歉)

| しっかり | get it together 好好地 |

Ⓐ どうしようかな。部長に失礼なこと言っちゃった。
Ⓑ 今ならまだ間に合うから、**しっかり**謝ったほうがいいよ。
Ⓐ うん、そうする。

Ⓐ What should I do? I said something rude to the department chief.
Ⓑ It's not too late. You should get it together and apologize to him.
Ⓐ Yes, I think I'll do that.

Ⓐ 怎么办啊。对经理说了很失礼的话。
Ⓑ 现在还来得及，应该好好道歉。
Ⓐ 嗯，好的。

Ⓐ Doo shiyoo kana. Buchoo ni shitsureena koto icchatta.
Ⓑ Ima nara mada ma ni au kara, shikkari ayamatta hoo ga ii yo.
Ⓐ Un, soo suru.

意味・使う場面
「強い態度で行動しなさい」と相手を励ます表現です。年齢や身分などが自分と同じか目下に使う表現で、目上には使えません。

Used to encourage someone to do something with a strong attitude. Used with people the same or lower age and status than you, and cannot be used with superiors.

激励对方「強い態度で行動しなさい／好好干」的一种表现。用于年龄身分跟自己相同或比自己低的人，不能对年长者使用。

基本パターン　**しっかり**＋する／Vする

1 ⓐ おかしいなあ。言われたとおりに来てるんだけどなあ。
　ⓑ **しっかりして**よ。どこかで道、間違えたんじゃないの？
　ⓐ うーん、もう一回電話してみるよ。

ⓐ Okashii naa. Iwareta toori ni kiteru n dakedo naa.
ⓑ **Shikkari shite** yo. Doko ka de michi, machigaeta n ja nai no?
ⓐ Uun, moo ikkai denwa shite miru yo.

ⓐ That's strange. I came the way we were told to come.
ⓑ Get it together. Are you sure you didn't take a wrong turn somewhere?
ⓐ Hmm. I'll try calling again.

ⓐ 有点儿不对劲儿啊，照说的来的啊。
ⓑ 你好好确认一下，是不是在哪儿走错道了？
ⓐ 嗯，打电话再问问看。

---

2 ⓐ 困ったなあ。借りてた書類が見つからない。
　ⓑ **しっかり**。一緒に探してあげるから。
　ⓐ 見つからなかったら、どうしよう。

ⓐ Komatta naa. Kariteta shorui ga mitsukaranai.
ⓑ **Shikkari**. Issho ni sagashite ageru kara.
ⓐ Mitsukara nakattara dooshiyoo.

ⓐ Oh no. I can't find the documents I was borrowing.
ⓑ Get it together. I'll help you look.
ⓐ What'll I do if I can't find them?

ⓐ 怎么搞的，借来的材料找不到了。
ⓑ 我跟你一起再好好找找。
ⓐ 找不到怎么办啊！

---

3 ⓐ これから会社見学に行ってきます。
　ⓑ **しっかり**見てきなさいよ。雰囲気なんかも。聞きたいことがあったら、遠慮せずに聞いて。しっかりメモ取って。いい？
　ⓐ はい。

ⓐ Korekara kaisha kengaku ni ittekimasu.
ⓑ **Shikkari** mitekinasai yo. Funiki nanka mo. Kikitai koto ga attara, enryo sezu ni kiite. Shikkari memo totte. Ii?
ⓐ Hai.

ⓐ We're going to go visit a company now.
ⓑ Be sure to look at it closely. The atmosphere and everything. Don't hold back if you have a question. Take close notes. Okay?
ⓐ Okay.

ⓐ 现在去公司参观。
ⓑ 要好好看啊！ 气氛什么的，有什么要问的别客气尽管问。要做好笔记，听见了吗？
ⓐ 知道了。

96 はい、ちゃんと出しましたよ

*Hai, **chanto** dashimashita yo*
(I made sure to give the notice／已经都寄出去了)

ちゃんと — properly / 好好、已经

Ⓐ そう言えば、会合の通知、忘れてないよね？
Ⓑ はい、ちゃんと出しましたよ。
Ⓐ なら、いいけど。

Ⓐ *Sooieba, kaigoo no tsuuchi, wasuretenai yo ne?*
Ⓑ *Hai, **chanto** dashimashita yo.*
Ⓐ *Nara ii kedo.*

Ⓐ Speaking of which, you didn't forget about the meeting notice, did you?
Ⓑ I made sure to give the notice.
Ⓐ Good, then.

Ⓐ 聚会的通知没忘吧？
Ⓑ 没有，已经都寄出去了。
Ⓐ 那就可以了。

意味・使う場面

「いい加減にしたり、放っておいたりしないで」という気持ちを含み、「正しく適切に」という意味を表す会話的表現です。くだけた場面に使われ、丁寧な場面には使いません。

A conversational expression that means "properly and appropriately" that also implies one should not do something halfheartedly or neglect it. Used in casual situations, and not in polite ones.

含有「いい加減にしたり、放っておいたりしないで／不要马马虎虎，放置不理」的语气，带有「正しく適切に／正确、确切」的意思。用于很随便的场面，郑重的场面不用。

基本パターン

ちゃんと ＋ する／Vする

1. Ⓐ じゃ、行ってきます。
   Ⓑ あっちへ行ったら、**ちゃんと**みんなに挨拶するんだよ。
   Ⓐ わかっています。

   Ⓐ I'll be off, then.
   Ⓑ Once you go there, make sure to properly greet everyone.
   Ⓐ I know.

   Ⓐ 那、我走了！
   Ⓑ 去那里一定要好好跟大家打招呼啊！
   Ⓐ 知道了。

   Ⓐ *Ja, ittekimasu.*
   Ⓑ *Acchi e ittara, **chanto** minna ni aisatsu suru n dayo.*
   Ⓐ *Wakatteimasu.*

2. Ⓐ 服装、**ちゃんとしろ**って、課長がうるさいんだ。
   Ⓑ そりゃ、あなたがだらしないからじゃない？
   Ⓐ そうじゃなくて、この暑いのに上着着ろって言われるんだよ。もう勘弁してほしい。

   Ⓐ The section chief is always so annoying about being dressed properly.
   Ⓑ Isn't that just because you dress messily?
   Ⓐ No, he wants us to wear jackets in this hot weather. I wish he'd give it a break.

   Ⓐ 科长总是啰唆服装要穿着整齐。
   Ⓑ 那是不是因为你不修边幅？
   Ⓐ 不是，这么热的天还要求穿上外套儿。

   Ⓐ *Fukusoo **chanto shiro** tte, kachoo ga urusai n da.*
   Ⓑ *Sorya anata ga darashinai kara ja nai?*
   Ⓐ *Soo ja nakute, kono atsui noni uwagi kiro tte iwareru n dayo. Moo kanben shite hoshii.*

3. Ⓐ また探し物？
   Ⓑ うん、ちょっと。
   Ⓐ 普段から**ちゃんと**整理してればいいのに。
   Ⓑ それはわかってるんだけど、忙しくてなかなかできないんだよ。

   Ⓐ Looking for something again?
   Ⓑ Yes, kind of.
   Ⓐ If only you were more properly organized all the time.
   Ⓑ I know that, but I'm too busy to find the time.

   Ⓐ 又在找东西？
   Ⓑ 嗯。
   Ⓐ 平时好好整理一下不就好了。
   Ⓑ 知道啊，可是因为很忙很难顾得上啊。

   Ⓐ *Mata sagashi mono?*
   Ⓑ *Un, chotto.*
   Ⓐ *Fudan kara **chanto** seeri shitereba ii noni.*
   Ⓑ *Sore wa wakatteru n dakedo, isogashikute nakanaka dekinai n dayo.*

97 これでいいじゃん

Kore de ii jan
（Isn't this fine?／这样不是挺好的！）

〜じゃん   Isn't it 〜?
不是〜

- Ⓐ もっときれいに書いてよ。
- Ⓑ これでいい**じゃん**。
- Ⓐ だめだって。お客さんに渡すやつなんだから。

- Ⓐ Write it more carefully.
- Ⓑ Isn't this fine?
- Ⓐ It's not. We'll be giving it to a customer.

- Ⓐ 再写漂亮点儿啊！
- Ⓑ 这样不是挺好的！
- Ⓐ 不行啊！是要给客人的。

- Ⓐ *Motto kiree ni kaite yo.*
- Ⓑ *Kore de ii **jan**.*
- Ⓐ *Dame datte. Okyaku san ni watasu yatsu nan dakara.*

意味・使う場面

「〜じゃないか」を略した形で、同意を求めるときや聞き返すときに使います。親しい間柄やくだけた場面で使われます。

An abbreviation of 「〜じゃないか」 used when seeking agreement or asking something again. Used with those close to you and in informal settings.

是「〜じゃないか」的省略式，用于争求对方同意时的反问。使用于关系比较亲密很随便的场面。

基本パターン　　[文の終わり] ＋ **じゃん**

1 Ⓐ 頂上まであと 500 メートルか。
　Ⓑ もう少し**じゃん**。
　Ⓐ そうだね。何とか頑張ろう。

　Ⓐ Choojoo made ato 500meetoru ka.
　Ⓑ Moo sukoshi **jan**.
　Ⓐ Soo dane. Nantoka ganbaroo.

　Ⓐ Five hundred meters until the summit.
　Ⓑ We're almost there.
　Ⓐ Yes, let's keep at it.

　Ⓐ 到山顶还有 500 米？
　Ⓑ 还有一点儿。
　Ⓐ 是啊。总之我们加油吧！

2 Ⓐ あ、雨が降り出した。弱ったなあ。
　Ⓑ この辺の店で雨宿りすればいい**じゃん**。
　Ⓐ だめだめ。今日は急ぐんだから。

　Ⓐ A, ame ga furi dashita. Yowatta naa.
　Ⓑ Kono hen no mise de amayadori sureba ii **jan**.
　Ⓐ Damedame. Kyoo wa isogu n dakara.

　Ⓐ Oh, it's starting to rain. Darn it.
　Ⓑ We can just take shelter from the rain in a store around here.
　Ⓐ No, we're in a rush today.

　Ⓐ 啊！下雨了！ 不大啊。
　Ⓑ 在附近找家店避避雨吧。
　Ⓐ 不行不行，今天时间很紧啊！

3 Ⓐ 明日、どうする？
　Ⓑ 郊外を散歩するっていうのはどう？
　Ⓐ へー、そんなこと言うなんて珍しい**じゃん**。でも、それがいいな。天気もよさそうだし。

　Ⓐ Ashita, doo suru?
　Ⓑ Koogai o sanposuru tte iu noha doo?
　Ⓐ Hee, sonnakoto iu nante mezurashii **jan**. Demo, sorega ii na. Tenki mo yosasoo da shi.

　Ⓐ What'll we do tomorrow?
　Ⓑ How does walking around the suburbs sound to you?
　Ⓐ Huh, I didn't expect you to say that. But that sounds nice. The weather seems good, too.

　Ⓐ 明天干什么？
　Ⓑ 在郊外散散步怎么样？
　Ⓐ 咦－难得你说出这样的话啊。那很好啊。天气好像也不错啊。

③ さらに質問する　98〜99

98 それで、帰りはいつごろ？
Sorede, kaeri wa itsu goro?
(So, when are you leaving？／什么时候出发？)

それで　　　So　　那么

Ⓐ 出発はいつ？
Ⓑ あさって。野村さんと一緒。同じ大学に留学するの。
Ⓐ いいねえ。**それで**、帰りはいつごろ？
Ⓑ 来年の今ごろ。

Ⓐ *Shuppatsu wa itsu?*
Ⓑ *Asatte. Nomura-san to issho. Onaji daigaku ni ryuugakusuru no.*
Ⓐ *Iinee.* ***Sorede****, kaeri wa itsu goro?*
Ⓑ *Rainen no ima goro.*

Ⓐ So, when are you leaving?
Ⓑ The day after tomorrow, together with Nomura-san. We're going to study at the same school abroad.
Ⓐ That sounds great. So when do you get back?
Ⓑ Around this time next year.

Ⓐ 什么时候出发？
Ⓑ 后天，跟野村一起去同一个大学留学。
Ⓐ 太好了。那么，什么时候回来？
Ⓑ 明年的这个时候。

意味・使う場面　相手の話の続きを聞くために促すときに使います。上げ調子にします。
Used to ask to hear more about what someone is talking about. Said in a rising tone.
催促让对方接着说下去时使用。语调要抬高。

基本パターン　（相手の話の一つの区切りのあと）**それで**？

会話練習

1 Ⓐ 部屋代が来月から上がるんです。
   Ⓑ **それで？**
   Ⓐ できれば、少し時給を上げてほしいんです。

Ⓐ Heya-dai ga raigetsu kara agaru n desu.
Ⓑ **Sorede?**
Ⓐ Dekireba, sukoshi jikyuu o agete hoshii n desu.

Ⓐ My rent is going up starting next month.
Ⓑ So?
Ⓐ I'd like you to raise my hourly wage if possible.

Ⓐ 房租下个月要涨。
Ⓑ 所以？
Ⓐ 可能的话，希望提高工钱（小时工钱）。

---

2 Ⓐ 田中君、けがしたあと、すぐに病院に運ばれたって。
   Ⓑ **それで？** どうなったの？
   Ⓐ 大きなけがじゃなかったみたい。また検査するそうだけど。
   Ⓑ あ、そう。

Ⓐ Tanaka-kun, kegashita ato, suguni byooin ni hakobareta tte.
Ⓑ **Sorede?** Doonatta no?
Ⓐ Ookina kega ja nakatta mitai. Mata kensasuru soo da kedo.
Ⓑ A, soo.

Ⓐ I heard that after Tanaka-kun hurt himself, they took him straight to a hospital.
Ⓑ So, what happened after that?
Ⓐ It doesn't sound like it was a bad injury. It seems like they'll do more tests, though.
Ⓑ Oh, I see.

Ⓐ 听说田中受伤后马上被送到医院了。
Ⓑ 那么，怎么样了？
Ⓐ 好像伤势不重，不过听说还得检查。
Ⓑ 啊！是嘛！！

---

3 Ⓐ こないだ引き受けたアルバイトなんだけど、けっこう期間が長いよね。
   Ⓑ まあ、そうだね。**それで？**
   Ⓐ 半分だけやるっていうのは、できない？

Ⓐ Konaida hikiuketa arubaito nan da kedo, kekkoo kikan ga nagai yone.
Ⓑ Maa, soo da ne. **Sorede?**
Ⓐ Hanbun dake yatu tte iu nowa, dekinai?

Ⓐ That part-time job I agreed to the other day actually goes on for a while.
Ⓑ Yes, that's true. So?
Ⓐ Do you think it would be possible to only do half?

Ⓐ 上次接的那个打工的活儿，期限很长啊！
Ⓑ 啊！是啊！ 那你？
Ⓐ 能不能只做一半儿？

99 へー。それから？

Hee. **Sorekara?**
(Huh. And then what?／哎－那后来呢？)

それから	then, and then what? 然后

Ⓐ 最初は公園をぶらぶら歩いたの。あと、ボートにも乗って。
Ⓑ へー。**それから？**
Ⓐ ちょうどお昼の時間になったから、公園の芝生でお弁当食べたよ。

Ⓐ Saisho wa kooen o burabura aruita no. Ato, booto nimo note.
Ⓑ Hee. **Sorekara?**
Ⓐ Choodo ohiru no jikan ni natta kara, kooen no shibafu de o-bentoo tabeta yo.

Ⓐ We wandered around the park first. We also rode a boat.
Ⓑ Huh. And then what?
Ⓐ Right as it was lunchtime, we had a picnic in the park.

Ⓐ 开始在公园里蹓跶蹓跶，后来去划船。
Ⓑ 哎－那后来呢？
Ⓐ 正好到了吃午饭的时间，就在公园的草坪上吃盒饭了。

意味・使う場面 相手の話の続きを聞くために促すときに使います。上げ調子にします。「それで」よりおだやかな感じがします。

Used to ask to hear more about what someone is talking about. Said in a rising tone. Sounds more gentle than「それで」.

催促让对方接着说下去时使用。语调要抬高。比「それで」语气稳重。

基本パターン　（相手の話の一つの区切りのあと）**それから**？

会話練習

1. Ⓐ 発送する直前にミスが見つかったんだよ。
   Ⓑ へー、危なかったね。**それから**どうしたの？
   Ⓐ 全員で夜までかかって直した。

   Ⓐ Hassosuru chokuzen ni misu ga mitsukatta n da yo.
   Ⓑ Hee, abunakatta ne. **Sorekara** dooshitano?
   Ⓐ Zen'in de yoru made kakatte naoshita.

   Ⓐ We discovered the error right before shipping it.
   Ⓑ Huh, that was close. And then what happened?
   Ⓐ Everyone worked until that night to fix it.

   Ⓐ 在寄出去之前发现有错儿。
   Ⓑ 唉—好悬啊。那后来呢？
   Ⓐ 所有的人彻夜修改。

2. Ⓐ ゆうべはどうにも書けないんで、やめて寝ちゃってね。
   Ⓑ **それから？**
   Ⓐ 夜中に起きて書いたら、案外、よくできたよ。

   Ⓐ Yuube wa doonimo kakenai n de, yamete nechatt ne.
   Ⓑ **Sorekara?**
   Ⓐ Yonaka ni okite kaitara, angai, yoku dekita yo.

   Ⓐ I just couldn't write yesterday, so I gave up and went to sleep.
   Ⓑ And then what?
   Ⓐ It went surprisingly well when I woke up in the middle of the night and began to write then.

   Ⓐ 昨晚怎么也写不下去了，干脆不写睡了。
   Ⓑ 然后呢？
   Ⓐ 半夜起来又开始写，没想到灵感出来了。

3. Ⓐ 先輩が会社の昼休みに会ってくれることになったんだよ。
   Ⓑ へー。**それから？**
   Ⓐ お昼をおごってくれて、いろいろアドバイスをしてくれた。

   Ⓐ Senpai ga kaisha no hiruyasumi ni attekureru koto ni natta n da yo.
   Ⓑ Hee. **Sorekara?**
   Ⓐ O-hiru o ogottekurete, iroiro adobaisu o shitekureta.

   Ⓐ My senior agreed to meet with me during his company lunch break.
   Ⓑ Huh. And then what?
   Ⓐ He paid for my lunch and gave me a lot of advice.

   Ⓐ 学长在公司午休时来见我了呢。
   Ⓑ 唉—，那然后呢？
   Ⓐ 请我吃午饭，还提供了各种建议。

PART3
説明に使う言葉
せつめい つか ことば

PART3
Words Used in Explanations

第 3 部分
说明用语

①さまざまな会話場面で使われる言葉　100〜119

100　こんな具合です
Konna guai desu
（This kind of feeling／是这样子的）

具合（ぐあい）　　　Manner, timing
方法、情况

先生：〈料理教室で〉…それで、次にこうかき混ぜます。
生徒：先生、こうですか。
先生：いや。もう一回よく見てください。こんな具合です。
生徒：わかりました。

Sensee：〈Ryoori kyooshitsu de〉…Sorede, tsugi ni koo kakimazemasu.
Seeto：Sensee, koo desu ka.
Sensee：Iya. Moo ikkai yoku mite kudasai. Konna *guai* desu.
Seeto：Wakarimashita.

Ⓐ [At a cooking classroom]...Next, you stir it like this.
Ⓑ Like this, sensei?
Ⓐ No, watch closely one more time. This kind of feeling.
Ⓑ I understand.

Ⓐ [在料理教室]…然后，像这样来搅拌。
Ⓑ 老师，是这样的吗?
Ⓐ 不是，你再看一次，是这样子的。
Ⓑ 懂了。

意味・使う場面

健康状態を意味する「具合」（⇒「どうも／どうやら」会話例①）もありますが、ここでの「具合」は「方法・やり方・調子など」の意味です。いろいろと具体的に説明する代わりに一言で表します。また、「具合よく」「具合わるく」の「具合」はタイミングの意味です。

While「具合」can be used to describe a state of health,「具合」here means "method / way / feeling." It is a term that can widely be used in place of more concrete descriptions. The「具合」in「具合よく」「具合わるく」is used to describe timing.

"具合"有时候表示健康状态的"情况"，这里的"具合"表示的是"方法、做法、情形等"意思。代替各种各样具体的说明，用一个词来代表意思。此外，"具合よく"、"具合わるく"的"具合"表示时机的意思。

基本パターン

①こんな／そんな／うまい／いい＋具合＋に＋〜する
②具合＋がいい／がわるい／よく〜する／わるく〜する

会話練習

PART3 ● 説明に使う言葉

1 Ⓐ うまく書けないなあ、このペン。
　Ⓑ それ、立てるようにすると**具合**がいいみたい。
　Ⓐ ほんとだ。斜めにするとインクが出にくいんだ。

Ⓐ *Umaku kakenai naa, kono pen.*
Ⓑ *Sore, tateru yoo ni suruto **guai** ga ii mitai.*
Ⓐ *Honto da. Naname ni suru to inku ga denikui n da.*

Ⓐ This pen doesn't write well.
Ⓑ Apparently, it'll feel better if you hold it up straight.
Ⓐ You're right. It must not put out much ink when you hold it diagonally.

Ⓐ 写不出来啊，这是钢笔。
Ⓑ 那个，好像立起来写要好点儿。
Ⓐ 真是这样，斜着写墨水是出不来。

---

2 Ⓐ けさ遅刻しなかった？
　Ⓑ うん。駅に着いたら、うまい**具合**に急行が来てね。
　Ⓐ 間に合ったんだ。
　Ⓑ うん、ぎりぎり。

Ⓐ *Kesa chikoku shinakatta?*
Ⓑ *Un. Eki ni tsuitara, umai **guai** ni kyuukoo ga kite ne.*
Ⓐ *Maniatta n da.*
Ⓑ *Un. Girigiri.*

Ⓐ Did you make it on time yesterday?
Ⓑ Yeah. When I got to the station, an express train came just at the right time.
Ⓐ So you made it.
Ⓑ Yes, just barely.

Ⓐ 今天早上没迟到吗？
Ⓑ 嗯，一到车站，正好快车过来了。
Ⓐ 赶上了。
Ⓑ 嗯，刚刚赶上。

---

3 Ⓐ 雨に降られなくてよかったですね。
　Ⓑ ええ。歩いてる間に、**具合**よく止んでくれましたからね。
　Ⓐ あれ？　また降ってきましたよ。
　Ⓑ ほんとですね。

Ⓐ *Ame ni furarenakute yokatta desu ne.*
Ⓑ *Ee. Aruiteru aida ni, **guai** yoku yande kuremashita kara ne.*
Ⓐ *Are? Mata futtekimashita yo.*
Ⓑ *Honto desu ne.*

Ⓐ Aren't you happy it's not raining?
Ⓑ Yes, it stopped just as we were walking.
Ⓐ Huh? It's starting to rain again.
Ⓑ You're right.

Ⓐ 没被雨淋真好啊。
Ⓑ 是啊，走着走着，雨就停了。
Ⓐ 诶，又下了啊。
Ⓑ 是啊。

101 軽く押さえる感じで拭き取ってください
かる　　　お　　　かん　　　　ふ　　　と

Karuku osaeru kanji de hukitotte kudasai
(Wipe it away like you're gently holding it down ／用那种轻轻按着的感觉擦就可以了)

感じ (かん) — Feeling, like / 感觉

Ⓐ あまりこすらないでください。
Ⓑ はあ。
Ⓐ 軽く押さえる感じで拭き取ってください。
Ⓑ はい。

Ⓐ Don't scrub it too hard.
Ⓑ Alright.
Ⓐ Wipe it away like you're gently holding it down.
Ⓑ Okay.

Ⓐ 不要使劲儿擦。
Ⓑ 啊?
Ⓐ 用那种轻轻按着的感觉擦就可以了。
Ⓑ 好的。

Ⓐ *Amari kosuranai de kudasai.*
Ⓑ *Haa.*
Ⓐ *Karuku osaeru kanji de hukitotte kudasai.*
Ⓑ *Hai.*

意味・使う場面

「感じ」は、感覚的なことや、漠然とした感想や印象、微妙な気持ちなど、言葉で簡単に表現しにくいものやことに使います。「空を飛ぶような感じ」のように例えの表現にもよく使います。

「感じ」is used when talking about something that is difficult to explain simply, such as one's intuition, complicated feelings, and so on. It is also used when making similes, such as "it feels like I'm flying."

"感じ"用于表示感觉上的事情，模糊的感想、印象或微妙的心情等，还用于难以用语言来描述的事情或物体的场合。也经常用于表示"像在空中飞的感觉"这种举例的表达方式。

基本パターン　[いA／なA／V] ＋**感じ**(かん)

会話練習

PART3 ● 説明に使う言葉

1 Ⓐ どう？ わかった？
Ⓑ なかなか難しいですね。
Ⓐ 練習しているうちに**感じ**がつかめますから。
Ⓑ はい、頑張ります。

Ⓐ Doo? Wakatta?
Ⓑ Nakanaka muzukashii desu ne.
Ⓐ Renshuu shiteiru uchini **kanji** ga tsukamemasu kara.
Ⓑ Hai, ganbarimasu.

Ⓐ So, do you understand?
Ⓑ It's quite difficult.
Ⓐ You'll get the feeling down while you practice it.
Ⓑ Okay, I'll try.

Ⓐ 怎么样？懂了吗？
Ⓑ 太难了。
Ⓐ 练习一段时间就会找到感觉。
Ⓑ 好的，我一定加油。

2 Ⓐ なんか音楽でもかけようか。
Ⓑ うん。いいね。
Ⓐ どういうのがいい？
Ⓑ なんか軽い**感じ**の曲がいいな。

Ⓐ Nanka ongaku demo kakeyoo ka.
Ⓑ Un. Iine.
Ⓐ Dooiuno ga ii?
Ⓑ Nanka karui **kanji** no kyoku ga ii na.

Ⓐ Should I put some music on?
Ⓑ Sure, that'd be good.
Ⓐ What would you like to listen to?
Ⓑ Something with a light feeling to it.

Ⓐ 咱们放放音乐来听吧。
Ⓑ 嗯，提议不错。
Ⓐ 放什么音乐好？
Ⓑ 放那种感觉轻快的曲子挺好。

3 Ⓐ あの店、いつも暇そうだね。
Ⓑ うん。いつつぶれてもおかしくない**感じ**。

Ⓐ Ano mise, itsumo hima soo da ne.
Ⓑ Un, itsu tsuburete mo okashikunai **kanji**.

Ⓐ That store always seems so empty.
Ⓑ Yes, it feels like they could close down for good any day.

Ⓐ 这家店总是客人很少。
Ⓑ 是的，就算什么时候开不下去了也不奇怪。

4 Ⓐ 昨日の食事会、どんな**感じ**だった？
Ⓑ ああ、すごく盛り上がったよ。

Ⓐ Kinoo no shokujikai, donna **kanji** datta?
Ⓑ Aa, sugoku moriagatta yo.

Ⓐ What was yesterday's dinner party like?
Ⓑ Oh, everyone was very energetic.

Ⓐ 昨天的餐会，什么感觉？
Ⓑ 哦，气氛挺热烈的。

102 ゼミの発表はどういう形で進めたらいいでしょうか

Zemi no happyoo wa dooiu **katachi** de susumetara ii deshoo ka

(What form should our seminar presentations be in？／讨论会的发表以什么样的形式进行呢？)

形 (かたち) — shape, form / 形式

Ⓐ 来週のゼミの発表はどういう形で進めたらよろしいでしょうか。
Ⓑ まず、話題提供の発表を30分くらい。そのあと意見交換にしようか。
Ⓐ はい、わかりました。

Ⓐ Raishuu no zemi no happyoo wa dooiu **katachi** de susumetara yoroshii deshoo ka.
Ⓑ Mazu, wadai teekyoo no happyoo o 30 ppun kurai. Sonoato ikenkookan ni shiyoo ka.
Ⓐ Hai, wakarimashita..

Ⓐ What form should our next seminar presentations be in?
Ⓑ We'll begin by introducing topics for about thirty minutes. We can exchange opinions after that.
Ⓐ Yes, I understand.

Ⓐ 下周的讨论会的发表以什么样的形式进行呢？
Ⓑ 首先，给出话题的发表要三十分钟左右，之后是大家交换意见。
Ⓐ 好的，知道了。

意味・使う場面
具体的な目に見える「形」とは別に、抽象的な、目に見えない「方法・やり方・手順など」を表します。

英文無し

与具体的、眼睛能看到的"形"不同，表示抽象的、看不到"方法、做法、顺序等"意思。

基本パターン　[Ⅴする／NAな] ＋ 形 ＋ で ＋ 〜する

会話練習

PART3 ● 説明に使う言葉

1. Ⓐ やっと勝てたね。内容はよくなかったけど。
   Ⓑ うん。まあ、どんな形でも勝ててよかったよ。

   Ⓐ Yatto kateta ne. Naiyoo wa yoku nakatta kedo.
   Ⓑ Un. Maa, donna **katachi** demo katete yokatta yo.

   Ⓐ So you finally won. It wasn't a very pretty win, though.
   Ⓑ Yes. Well, no matter what the shape, I'm glad we won.

   Ⓐ 终于胜利了。虽然内容不太好。
   Ⓑ 是啊，总之，不管什么形式，能获胜就好。

2. Ⓐ 会議はどんな感じでやる？
   Ⓑ 一人ずつ意見を言って、最後に部長にまとめてもらうって形でいいんじゃない？
   Ⓐ そうだね。

   Ⓐ Kaigi wa donna kanji de yaru?
   Ⓑ Hitori zutsu iken o itte, saigo ni buchoo ni matomete morau tte **katachi** de ii n ja nai?
   Ⓐ Soo da ne.

   Ⓐ How do you want to conduct the meeting?
   Ⓑ What do you think about having each person give their opinions and then having the chief summarize them at the end?
   Ⓐ That sounds good.

   Ⓐ 会议以什么样形式进行呢？
   Ⓑ 先每个人都说说意见，最后由部长来总结，采取这样的形式怎么样？
   Ⓐ 好的。

3. Ⓐ 当日はどんな感じになりますか。
   Ⓑ 元町駅の改札前に8時に集合して、そこからホテルのバスで移動します。
   Ⓐ 遅れたらどうすればいいんですか。
   Ⓑ その場合は自分でバスかタクシーで来てもらう形になります。

   Ⓐ Toojitsu wa donna kanji ni narimasu ka.
   Ⓑ Motomachieki no kaisatsumae ni 8 ji ni shuugoo shite, soko kara hoteru no basu de idoo shimasu.
   Ⓐ Okuretara doo sureba ii n desu ka.
   Ⓑ Sono baai wa jibun de basu ka takushii de kite morau **katachi** ni narimasu.

   Ⓐ What will things be like that day?
   Ⓑ We'll meet in front of the ticket gate of Motomachi Station at 8, and go to the hotel from there by bus.
   Ⓐ What should we do if we're late?
   Ⓑ In that case, you'll have to take a bus or taxi there on your own.

   Ⓐ 当天是什么感觉呢？
   Ⓑ 8点在元町车站的检票口集中，然后在那里坐酒店的巴士出发。
   Ⓐ 要是迟到了，怎么办呢？
   Ⓑ 如果那样，就只能自己坐巴士或者打车过来啦。

103 その右にある**やつ**

*Sono migi ni aru **yatsu***

(the one on the right over there ／右边儿的那个)

• •

やつ　　　　　　　　　　　one, thing, guy
　　　　　　　　　　　　　（指人或事）

Ⓐ それ、取ってくれる？
Ⓑ どれ？ …これ？
Ⓐ いや、その右にある**やつ**。
Ⓑ ああ、これね。

Ⓐ Sore, tottekureru?
Ⓑ Dore? …Kore?
Ⓐ Iya, sono migi ni aru **yatsu**.
Ⓑ Aa, kore ne.

Ⓐ Could you get that for me?
Ⓑ Which one? …This one?
Ⓐ No, the one on the right over there.
Ⓑ Oh, this.

Ⓐ 那个，拿给我行吗？
Ⓑ 哪个？ …这个吗？
Ⓐ 不是，右边儿的那个。
Ⓑ 啊，这个啊！

意味・使う場面

「やつ」は「人」や「物」を意味する指示語で、くだけた言い方です。対象となるものを軽く扱うニュアンスを持ち、気軽さや親しみを表す一方で、時に、軽蔑する気持ちや乱暴な調子を含む場合もあります。使い方に注意しましょう。

「やつ」 is used to indicate people or things in an informal way. It carries a nuance of treating the thing being talked about lightly, so while it can indicate cheer or familiarity, it can also be used in ways that are meant to show disdain or a rough attitude. Be careful how you use this term.

「やつ」是表示「人」或「物」的指示代名词，用于很随便的说法。有表示轻松对待其对象的语气的一面，有时也有轻蔑粗鲁的语气。使用时请注意。

基本パターン　（人や物を指して）**やつ**

会話練習

PART3 ● 説明に使う言葉

1 〈パソコンのカタログを見ながら〉
Ⓐ これなんか、どう？
Ⓑ うーん…なるべく薄くて軽い**やつ**がいいな。
Ⓐ そういうの高いんだよね。

〈Pasokon no katarogu o minagara〉
Ⓐ Kore nanka, doo?
Ⓑ Uun…narubeku usukute karui **yatsu** ga ii na.
Ⓐ Sooiu no takai n da yo ne.

[While looking at a computer catalog]
Ⓐ What do you think about this?
Ⓑ Hmm... I'd like one that's as thin and as light as possible.
Ⓐ Those are expensive, though.

［边看电脑的商品介绍边…］
Ⓐ 这个怎么样？
Ⓑ 嗯…最好是薄一点儿的好。
Ⓐ 那样的很贵啊！

---

2 Ⓐ 昨日言ってたのって、このサイト？
Ⓑ いや、私が見た**やつ**とちょっと違うなあ。
Ⓐ そうか…。ネットは似てるのが多いからね。

Ⓐ Kinoo itteta no tte, kono saito?
Ⓑ Iya, watashi ga mita **yatsu** to chotto chigau naa.
Ⓐ Soo ka…. Netto wa niteru no ga ooi kara ne.

Ⓐ Is this the site you were talking about yesterday?
Ⓑ No, the one I was looking at was a little different.
Ⓐ I see... Well, a lot of sites online look the same.

Ⓐ 昨天说的是这个网站？
Ⓑ 不是，跟我看的比一样。
Ⓐ 是吗…。网上相似的太多了。

---

3 Ⓐ 青木さんをよく知ってるんですね。
Ⓑ ええ。彼は大学の時の友達なんです。面白い**やつ**ですよ。

Ⓐ Aoki-san o yoku shitteru n desu ne.
Ⓑ Ee. Kare wa daigaku no toki no tomodachi na n desu. Omoshiroi **yatsu** desu yo.

Ⓐ You know Aoki-san well, don't you?
Ⓑ Yes. We've been friends since university. I Ie's a good guy.

Ⓐ 你跟青木很熟啊。
Ⓑ 嗯。他是我大学时的朋友，是个很有趣儿的人。

---

4 Ⓐ 石原さんも呼ぶ？
Ⓑ 石原？　あんな**やつ**、呼ばなくていいよ。うるさいだけだから。

Ⓐ Ishihara-san mo yobu?
Ⓑ Ishihara? Anna **yatsu**, yobanakute ii yo. Urusai dake dakara.

Ⓐ Do you want to invite Ishihara-san, too?
Ⓑ Ishihara? You don't need to invite that guy. He's nothing but a nuisance.

Ⓐ 也叫上石原？
Ⓑ 石原？　那家伙还是别叫好，太闹人了。

104 わけわかんない

Wake wakannai
(I don't get it ／不明白为什么)

わけ   Reason, it / 理由、原因

Ⓐ 課長って急に怒り出すからなあ…。
Ⓑ そうそう。**わけ**わかんない。
Ⓐ 困っちゃうよね。

Ⓐ *Kachoo tte kyuu ni okoridasu kara naa.*
Ⓑ *Soosoo. **Wake** wakannai.*
Ⓐ *Komacchau yo ne.*

Ⓐ The section chief gets angry so suddenly...
Ⓑ Yes, I don't get it.
Ⓐ What a bother.

Ⓐ 科长有时突然发火…。
Ⓑ 是啊！ 是啊！ 不明白为什么。
Ⓐ 真让人为难啊。

意味・使う場面

「わけ」を漢字で書くと「訳」で、理由や事情の意味です。例③を会話でなく説明文にすると「子どもたちは学校が休みなので、公園で遊んでるというわけだ」のようになります。

When writing 「わけ」in kanji as 「訳」, it refers to reasons or circumstances. To make Example 3 a description rather than a conversation, it would become "The children have the day off from school, which is the reason they are playing in the park."

「わけ」汉字写「訳」，是表示理由或事情的意思。例③如果不是会话是说明的话，应该是「子どもたちは学校が休みなので、公園で遊んでるというわけだ／孩子们因为学校放假，所以在公园玩儿」。

基本パターン

① **わけ** ＋がある／がわかる／を知る など
② ［文（事情の説明など）］ ＋ **わけ** ＋だ

会話練習

PART3 ● 説明に使う言葉

1 Ⓐ 遅刻(ちこく)は多(おお)いし、宿題(しゅくだい)は出(だ)さない。授業中(じゅぎょうちゅう)は寝(ね)てばかり。
Ⓑ …すみません。
Ⓐ どういう**わけ**なのか、ちゃんと説明(せつめい)しなさい。

Ⓐ Chikoku wa ooi shi, shukudai wa dasanai. Jugyoo chuu wa nete bakari.
Ⓑ …Sumimasen.
Ⓐ Dooiu **wake** nanoka, chanto setsumee shinasai.

Ⓐ You're tardy all the time, and you don't turn in your homework. You're always sleeping during class.
Ⓑ …I'm sorry.
Ⓐ I want you to explain yourself. Give me a reason.

Ⓐ 迟到很多，不交作业。上课时光睡觉。
Ⓑ …对不起。
Ⓐ 怎么回事儿？ 你好好说说。

---

2 Ⓐ 山下(やました)さん、このごろ元気(げんき)ないよね。
Ⓑ 表情(ひょうじょう)も暗(くら)いしね。
Ⓐ 何(なに)か**わけ**でもあるのかな。

Ⓐ Yamashita-san, konogoro genki nai yo ne.
Ⓑ Hyoojoo mo kurai shi ne.
Ⓐ Nanika **wake** demo aru no kana.

Ⓐ Yamashita-san hasn't looked very energetic lately.
Ⓑ His expression is gloomy, too.
Ⓐ I wonder if there's a reason.

Ⓐ 山下，最近没精神啊。
Ⓑ 表情也很难看啊。
Ⓐ 也许有什么原因吧。

---

3 Ⓐ あれ？ なんでこんな時間(じかん)に子(こ)どもたちが公園(こうえん)で遊(あそ)んでるの？
Ⓑ 今日(きょう)は学校(がっこう)、休(やす)みですって。
Ⓐ ああ、そういう**わけ**か。

Ⓐ Are? Nande konna jikan ni kodomo tachi ga kooen de asonderu no?
Ⓑ Kyoo wa gakkoo, yasumi desu tte.
Ⓐ Aa, sooiu **wake** ka.

Ⓐ Hm? Why are there children playing in the park at this hour?
Ⓑ Apparently they have the day off from school.
Ⓐ Oh, so that's why.

Ⓐ 唉？ 为什么这个时间孩子们在公园玩儿？
Ⓑ 听说今天学校放假。
Ⓐ 啊，是这么回事儿啊。

PART3 説明に使う言葉
① さまざまな会話場面で使われる言葉
② 「何」を含む表現

105 なかなかいい線行ってると思う

*Nakanaka ii **sen** itteru to omou*

(I think you're on a pretty good track ／写得相当有水平啊)

線 (せん)	fairly, pretty
	很，相当

Ⓐ 先輩、私が今書いているレポートをちょっと見てもらえませんか。
Ⓑ ああ、いいよ。…うん、なかなかいい線行ってると思う。
Ⓐ ほんとですか。ありがとうございます。

Ⓐ Senpai, watashi ga ima kaiteiru repooto o chotto mite moraemasen ka.
Ⓑ Aa, ii yo. …Un, nakanaka ii **sen** itteru to omou.
Ⓐ Honto desu ka. Arigatoo gozaimasu.

Ⓐ Senpai (Senior), could you please look at the report I'm writing right now?
Ⓑ Sure... Yeah, I think you're on a pretty good track.
Ⓐ Really? Thank you.

Ⓐ 前辈，能帮我看一下刚才写的报告吗？
Ⓑ 啊，可以啊。…嗯！写得相当有水平啊。
Ⓐ 真的吗？谢谢！

意味・使う場面
「線」には、①方向・方向性・方針や②レベルの意味があります。動詞「行く」や「この／その／どの／こういう／そういう／どういう」と一緒に使われることが多いです。

「線」can mean "Direction" or it can mean "Level." It is often used together with the verb「行く」or「この／その／どの／こういう／そういう／どういう」.

「線」有①方向・方向性・方针②水平等意思。常与动词「行く」或「この／その／どの／こういう／そういう／どういう」一起使用。

基本パターン

この／その／どの
いい } ＋ 線(せん)

会話練習

PART3 ● 説明に使う言葉

1 Ⓐ じゃ、地方の都市部を中心に販売を強化していきます。
Ⓑ ええ。その**線**で進めてください。
Ⓐ わかりました。

Ⓐ *Ja, chihoo no toshi-bu o chuushin ni hanbai o kyooka shiteikimasu.*
Ⓑ *Ee. Sono **sen** de susumete kudasai.*
Ⓐ *Wakarimashita.*

Ⓐ So we will put more strength into sales, particularly in regional metropolitan areas.
Ⓑ Yes, please continue along those lines.
Ⓐ Alright.

Ⓐ 那，以地方城市为中心促进退销售。
Ⓑ 好，那就朝这个方向做吧。
Ⓐ 知道了。

---

2 Ⓐ もう少し安くできない？
Ⓑ いやあ、これがギリギリの**線**でして。
Ⓐ そんなことないでしょう？

Ⓐ *Moo sukoshi yasuku dekinai?*
Ⓑ *Iyaa, kore ga girigiri no **sen** deshite.*
Ⓐ *Sonna koto nai deshoo?*

Ⓐ Could you make this a little cheaper?
Ⓑ Well, this is just about as cheap as I can go.
Ⓐ That's not really true, is it?

Ⓐ 不能再便宜点儿吗？
Ⓑ 不行啊，这已经是最便宜的了。
Ⓐ 不会吧？

---

3 Ⓐ 誰が新しい代表になったの？
Ⓑ 山下さんだって。
Ⓐ なるほど。まあ、妥当な**線**だね。

Ⓐ *Dare ga atarashii daihyoo ni natta no?*
Ⓑ *Yamashita-san datte.*
Ⓐ *Naruhodo. Maa, datoo na **sen** da ne.*

Ⓐ Who became the new representative?
Ⓑ Yamashita-san, apparently
Ⓐ I see. Well, that's the right line to take.

Ⓐ 谁当新代表了？
Ⓑ 听说是山下。
Ⓐ 哦，那比较靠谱。

106 お休みのところ、ごめんなさい

O-yasumi no tokoro, gomennasai
(I'm sorry to trouble you on your break ／你正在休息，对不起)

～ところ

Ⓐ お休みのところ、ごめんなさい。
Ⓑ あ、いえ。何かありましたか。
Ⓐ ふじ工業のファイルが見つからなくて…。

Ⓐ I'm sorry to trouble you on your break.
Ⓑ Not at all. Is there a problem?
Ⓐ I just can't find the Fuji Industry file...

Ⓐ 你正在休息，对不起。
Ⓑ 啊，没关系。有事吗？
Ⓐ 富士工业的文件找不到…。

Ⓐ *O-yasumi no tokoro, gomennasai.*
Ⓑ *A, ie. Nanika arimashita ka.*
Ⓐ *Fuji koogyoo no fairu ga mitsukaranakute.*

意味・使う場面

主には今現在のこととして「そのような場面、状況」を表します。また、今現在との対比で「本来の状態・あり方」を表します。くだけた言い方では「とこ」になることがあります。

Primarily used to indicate a situation in the present. Also indicates an original situation as compared to the present. Also becomes「とこ」during informal speech.

主要表示作为现在的「そのような場面、状況／那样的场面、状况」。还有与现在的对比，表示「本来の状態・あり方／原来的状态．方向」。随便的场合也说「とこ」。

基本パターン

[Nの／V／A／NA] + **とこ（ろ）** + **（を）** + 文
すみません

会話練習

PART3 ● 説明に使う言葉

1
- Ⓐ いつもなら20分で行ける**ところ**を1時間もかかったよ。
- Ⓑ 渋滞？
- Ⓐ うん。事故があったみたい。

- Ⓐ Itsumo nara 20 pun de ikeru **tokoro** o 1 jikan mo kakatta yo.
- Ⓑ Juutai?
- Ⓐ Un. Jiko ga atta mitai.

- Ⓐ You can normally go in 20 minutes, but it took an hour.
- Ⓑ Because of traffic?
- Ⓐ Yes, it seems there was an accident.

- Ⓐ 平时20分钟的路花了一个小时。
- Ⓑ 堵车吗？
- Ⓐ 嗯！好像发生了交通事故。

2
- Ⓐ 鈴木さんのお祝いの会なんだけど。
- Ⓑ ああ、ちょうど私も考えてた**とこ**。

- Ⓐ Suzuki-san no o-iwai no kai nan dakedo.
- Ⓑ Aa, choodo watashi mo kangaeteta **toko**.

- Ⓐ I wanted to talk to you about the celebration for Suzuki-san.
- Ⓑ Oh, I was just going to talk to you about that too.

- Ⓐ 关于铃木的祝贺会。
- Ⓑ 啊，我也正考虑着呢。

3
- Ⓐ〈旅行会社で〉このチラシ見て。今なら、10万円の**ところ**を7万円だって。
- Ⓑ へえ、お得だね。

- Ⓐ <Ryokoo gaisha de> Kono chirashi mite. Ima nara, 10 man en no **tokoro** o 7man en datte.
- Ⓑ Hee, otoku da ne.

- Ⓐ (At a travel agency) Look at this flier. It says this usually costs 100,000 yen, but that it's only 70,000 yen right now.
- Ⓑ Huh, what a deal.

- Ⓐ（在旅行社）你看这个广告，上面说现在去的话10万可以优惠到7万呢。
- Ⓑ 真合算啊。

4
- Ⓐ 本当なら私がやるべき**ところ**を、すみません。
- Ⓑ いいですよ、気にしないでください。
- Ⓐ 今度、何かお礼しますね。

- Ⓐ Hontoo nara watashi ga yarubeki **tokoro** o, sumimasen.
- Ⓑ Ii desu yo. Ki ni shinaide kudasai.
- Ⓐ Kondo, nanika oree shimasu ne.

- Ⓐ I'm sorry for making you do this, when I normally should be the one to do it.
- Ⓑ It's fine, don't worry about it.
- Ⓐ I'll be sure to make it up to you.

- Ⓐ 本来是应该我做的，不好意思。
- Ⓑ 没关系的，别介意啊！
- Ⓐ 等找机会表示表示。

107 そういうつもり

Sooiu **tsumori**
(my intention ／打算那样)

～つもり
intend, think
打算～

Ⓐ じゃ、何？ 全部、私のせいだって言うの？
Ⓑ そういう**つもり**で言ったんじゃないよ。

Ⓐ So what? Are you saying it's all my fault?
Ⓑ No, that's not what I'm intending to say.

Ⓐ 说什么？ 都是我的错？
Ⓑ 不是这个意思啊！

Ⓐ Ja, nani? Zenbu, watashi no see datte iuno?
Ⓑ Sooiu **tsumori** de itta n ja nai yo.

▶「これから～する」という意志を表します。また、「（ある目的・理由で）～する」という意図や考え、さらに、「自分でそうだと思い込むこと」を表します

Used to show one's intention to do something in the future, as well as one's intention to do something for a specific reason or toward a specific goal. Furthermore, it can be used to indicate one's personal impression.

表示「これから～する」。还有「（ある目的・理由で）～する」这样的意图、想法以及「自分でそうだと思い込むこと／自己以为」的意思。

基本パターン

[Ⅴる／ない／た] ＋ **つもり**
その／そんな／そういう／どんな／どういう ＋ **つもり**

1. Ⓐ 今日のテスト、全然だめだった。
   Ⓑ 私も。結構勉強した**つもり**だったのにな。

   Ⓐ Kyoo no tesuto, zenzen dame datta.
   Ⓑ Watashi mo. Kekkoo benkyoo shita **tsumori** datta noni na.

   Ⓐ I did no good on today's test.
   Ⓑ Same here. I had thought I did a lot of studying for it.

   Ⓐ 今天的考试考得真糟啊。
   Ⓑ 我也是。本以为准备得差不多了。

2. Ⓐ 田中さんと仲直りはしたの？
   Ⓑ ううん、まだ。でも、私から謝る**つもり**はないから。
   Ⓐ しょうがないなあ。

   Ⓐ Tanaka san to nakanaori shita no?
   Ⓑ Uun, mada. Demo, watashi kara ayamaru **tsumori** wa nai kara.
   Ⓐ Shooganai naa.

   Ⓐ Did you make up with Tanaka-san?
   Ⓑ No, not yet. But I don't intend to be the one to apologize.
   Ⓐ Oh well.

   Ⓐ 跟田中和好了？
   Ⓑ 还没呢，反正我不打算向他道歉。
   Ⓐ 真没办法啊。

108 仕事が少し大変だけど
しごと すこ たいへん

*Shigoto ga sukoshi **taihen** dakedo.*

(Work has been a little difficult ／就是工作有点儿太忙了)

| 大変
 たいへん | difficult
 太麻烦、太辛苦了 |

Ⓐ 久しぶり。最近どう？ 調子は。
Ⓑ まあまあかな。仕事が少し**大変**だけど。

Ⓐ *Hisashiburi. Saikin doo? Chooshi wa.*
Ⓑ *Maamaa kana. Shigoto ga sukoshi **taihen** dakedo.*

Ⓐ It's been a while. How have you been lately?
Ⓑ I'm okay, I guess. Work has been a little difficult.

Ⓐ 好久不见、最近怎么样？
Ⓑ 还可以，就是工作有点儿太忙了。

▶ 事態が重大であることや、苦労や困難が多いことを表します。また、程度が普通でないという意味で、いいことにも悪いことにも使います。

Used to indicate the severity of a situation, or that that is difficult or troubled. Can also be used in both positive and negative situations to mean that something is more extreme than normal.

表示事情的重大、苦劳或困难过多。还表示程度非同一般。好事坏事都用。

| 基本
パターン | N ＋ は／が ＋ 大変だ
［状況・理由・条件などを表す語句］＋大変だ |

1 Ⓐ 昨日は**大変**だったよ。
 Ⓑ 電車のトラブルでしょ？
 Ⓐ そう。2時間も電車が止まっちゃって。

Ⓐ *Kinoo wa **taihen** dattayo.*
Ⓑ *Densha no toraburu desho?*
Ⓐ *Soo. 2jikan mo densha ga tomacchatte.*

Ⓐ Yesterday was difficult.
Ⓑ You're talking about the problems with the trains, right?
Ⓐ Yes. They were stopped for two whole hours.

Ⓐ 昨天实在太意外了。
Ⓑ 是吗，是电车出故障了吧？
Ⓐ 是啊。电车停了两个小时。

2 Ⓐ 書類、もう送った？
 Ⓑ まだ。でも、5時までに送ればいいから。
 Ⓐ 何言ってるの⁉ 万一遅れたら**大変**だよ。

Ⓐ *Shorui, moo okutta?*
Ⓑ *Mada. Demo, 5 ji made ni okureba ii kara.*
Ⓐ *Nani itteru no⁉ Man'ichi okuretara **taihen** da yo.*

Ⓐ Did you already send the papers?
Ⓑ Not yet. But it's fine as long as I send them by 5.
Ⓐ What are you saying?! It'll be awful if they're somehow late.

Ⓐ 文件已经寄出去了？
Ⓑ 还没有。五点前寄出去就行了。
Ⓐ 你说什么⁉ 万一晚了就糟了！

109 日曜はちょっと…
Nichiyoo wa *chotto*....
(Sunday is a little... ／星期天有点儿不方便)

ちょっと — a little ／有点儿

Ⓐ 今週の日曜、サッカーを見に行きませんか。
Ⓑ 日曜は**ちょっと**…。約束があって。
Ⓐ そうですか。じゃ、また今度。
Ⓑ すみません。

Ⓐ Would you like to go watch some soccer this Sunday?
Ⓑ Sunday is a little... I already have plans.
Ⓐ Is that so? Then next time.
Ⓑ I'm sorry.

Ⓐ 这周日不去看足球比赛吗？
Ⓑ 星期天有点儿不方便，我已经有约定了。
Ⓐ 是吗？ 那下次吧。
Ⓑ 对不起。

Ⓐ *Konshuu no nichiyoo, sakkaa o mini ikimasen ka.*
Ⓑ *Nichiyoo wa chotto…. Yakusoku ga atte.*
Ⓐ *Soo desu ka. Ja, mata kondo.*
Ⓑ *Sumimasen.*

意味・使う場面

直接的に言いにくいときなどに、断りや疑問の気持ちを控えめに、否定的なことを柔らかく、表現します。また、「無視できない、少なからず、かなり」などの意味を表します。

Used to softly express a negative statement when it is hard to say it directly by being modest with one's feelings of doubt of denial. Also used to mean "unignorable," "at the least," and "quite a bit."

用于直接不好说，尽量不流露出拒绝或抱有疑问，委婉地表示否定（拒绝）的语气。

基本パターン

ちょっと＋Ｖ／Ａ （＊否定的なこと）
＊negative statement ／负面的东西

会話練習

PART3 ● 説明に使う言葉

①さまざまな会話場面で使われる言葉

1
- Ⓐ ワンさん、ここは刺身がおいしいんですよ。
- Ⓑ ああ…。刺身は<u>ちょっと</u>食べられないんです。
- Ⓐ そうですか。とんかつはどうですか。
- Ⓑ とんかつは大好きです。

- Ⓐ The sashimi is very good here, Wang-san.
- Ⓑ Oh… It's a little hard for me to eat sashimi.
- Ⓐ I see. Can you eat tonkatsu?
- Ⓑ I love tonkatsu.

- Ⓐ 小王,这里的生鱼片很好吃啊!
- Ⓑ 啊…。生鱼片我吃不了。
- Ⓐ 是吗。猪排怎么样?
- Ⓑ 猪排非常喜欢。

- Ⓐ Wan san, koko wa sashimi ga oishii n desu yo.
- Ⓑ Aa…. Sashimi wa *chotto* taberarenai n desu.
- Ⓐ Soo desu ka. Tonkatsu wa doo desu ka.
- Ⓑ Tonkatsu wa daisuki desu.

2
- Ⓐ あのう、明日、休ませてもらいたいんですが…。
- Ⓑ え? それは、<u>ちょっと</u>困るよ。
- Ⓐ 誰かに代わってもらうよう頼みますので。
- Ⓑ しょうがないなあ。

- Ⓐ Um, may I take tomorrow off?
- Ⓑ What? That'd be a little tough for us.
- Ⓐ I'll ask someone to take over for me.
- Ⓑ Fine, then.

- Ⓐ 明天想请个假休息…。
- Ⓑ 唉? 那有点儿麻烦啊。
- Ⓐ 我找个人代我。
- Ⓑ 没办法,只好那样了。

- Ⓐ Anoo, ashita, yasumasete moraitai n desuga….
- Ⓑ E? Sore wa, *chotto* komaru yo.
- Ⓐ Dareka ni kawatte morau yoo tanomimasu node.
- Ⓑ Shooganai naa.

3
- Ⓐ あーあ。
- Ⓑ どうしたの、ため息なんかついて。
- Ⓐ <u>ちょっと</u>面倒な仕事の担当になっちゃって。しばらく忙しくなりそう。
- Ⓑ そうなんだ。

- Ⓐ Oh dear.
- Ⓑ What's the matter? Why are you sighing?
- Ⓐ I was put on a bit of an annoying job. I'll probably be busy for a while.
- Ⓑ I see.

- Ⓐ 唉! 唉!
- Ⓑ 怎么了? 唉声叹气的。
- Ⓐ 负责了一个麻烦的工作,暂时要忙一段时间。
- Ⓑ 是这么回事啊。

- Ⓐ Aaa.
- Ⓑ Doo shita no, tameiki nanka tsuite.
- Ⓐ *Chotto* mendoona shigoto no tantoo ni nacchatte. Shibaraku isogashiku nari soo.
- Ⓑ Soo nan da.

195

110 いろいろとお世話になりました

Iroiro to o-sewa ni narimashita
(Thank you for all you did for me／承蒙多方面关照)

| いろいろ | lots, all 各种 |

Ⓐ 田中さんが辞めるなんて、寂しくなりますね。
Ⓑ 部長には、いろいろとお世話になりました。
Ⓐ また、いつでも遊びに来てください。
Ⓑ ありがとうございます。

Ⓐ Tanaka-san ga yameru nante, sabishiku narimasu ne.
Ⓑ Buchoo niwa, *iroiro* to o-sewa ni narimashita.
Ⓐ Mata, itsudemo asobi ni kite kudasai.
Ⓑ Arigatoo gozaimasu.

Ⓐ It's sad to hear that you'll be leaving, Tanaka-san.
Ⓑ Thank you for all you did for me, chief.
Ⓐ Come back to say hi any time you want.
Ⓑ Thank you.

Ⓐ 听说田中要辞职，真舍不得你走啊。
Ⓑ 承蒙经理多方面关照。
Ⓐ 什么时候再来玩啊。
Ⓑ 谢谢！

意味・使う場面
基本は「種類が多い」という意味ですが、事情や事柄の内容が複雑だったり多かったりして簡単に言えないときなどに、代わりに使います。

Used most simply to mean "many different types" (example 1), but also used when something cannot be said easily due to it being a complex situation.

基本意思是「種類が多い／种类多」。可是也用于如（会话1）中的形容事情或事态内容复杂、繁多，不能一言了之。

基本パターン　いろいろ ＋文

会話練習 PART3 ● 説明に使う言葉

1 Ⓐいがいとさんせいのひともいるんだね。

Ⓑそれはそうだよ。人によって見方は**いろいろ**だからね。

Ⓐ There were more people agreeing than I expected.
Ⓑ Of course there were. Everyone has their own opinions.

Ⓐ 没想到也有人赞同啊。
Ⓑ 那是啊。每个人的想法不一样啊。（人的想法各种各样）

Ⓐ *Igaito sansee no hito mo iru n da ne.*
Ⓑ *Sore wa soo da yo. Hito niyotte mikata wa iroiro dakara ne.*

2 Ⓐ〈イベントが終了〉**いろいろ**大変でしたけど、無事終わってよかったですね。

Ⓑええ、本当に。

Ⓐ (At the end of an event) It was a lot of work, but I'm glad it ended without incident.
Ⓑ Yes, you're right about that.

Ⓐ（活动结束）虽然有各种麻烦事，可是顺利结束了，太好了。
Ⓑ 是啊。

Ⓐ *<Ibento ga shuuryoo> Iroiro taihen deshita kedo, buji owatte yokatta desu ne.*
Ⓑ *Ee, hontoo ni.*

3 Ⓐ遅いなあ。10分も遅刻だよ！

Ⓑごめん、ちょっと**いろいろ**あって…。

Ⓐ How late. You're ten whole minutes late!
Ⓑ Sorry, a lot of stuff happened...

Ⓐ 怎么这么晚啊。迟到了10分钟了！
Ⓑ 对不起，有很多事儿…。

Ⓐ *Osoi naa. 10 pun mo chikoku da yo!*
Ⓑ *Gomen, chotto iroiro ate….*

111 さっき部長が探してたよ

Sakki buchoo ga sagashiteta yo
(The chief was just now looking for you ／剛才経理来找你了)

さっき just now 刚才

Ⓐ 田中さん、さっき部長が探してたよ。
Ⓑ あ、そう。何だろう。

Ⓐ Tanaka-san, sakki buchoo ga sagashiteta yo.
Ⓑ A, soo. Nan daroo.

Ⓐ Tanaka-san, the chief was just now looking for you.
Ⓑ Oh, was he? What could it be?

Ⓐ 田中，刚才经理来找你了。
Ⓑ 啊，是吗。什么事啊。

▶「少し前、先ほど」の意味のくだけた会話表現です。丁寧に話すときには「先ほど」のほうがいいです。

An information, conversational way to say "a few moments ago." When said politely, often expressed by saying「先ほど」.

是「少し前、先ほど／刚才」的意思，用在随意的会话里。客气的场合应用「先ほど」。

| 基本パターン | さっき ＋Ｖた／文
＋の＋Ｎ |

1. Ⓐ さっきの話なんだけど、ほかに誰が知ってるの？
   Ⓑ あとは原さんだけ。

   Ⓐ Sakki no hanashi nan dakedo, hoka ni dare ga shitteru no?
   Ⓑ Ato wa Hara-san dake.

   Ⓐ About that conversation just now. Who else knows about it?
   Ⓑ Just Hara-san.

   Ⓐ 刚才说的话，其他人谁还知道？
   Ⓑ 其他的只有小原。

2. Ⓐ 今日、お昼は？
   Ⓑ さっき外に出たついでにパンを買ってきた。
   Ⓐ そっか。じゃ、私も買ってこよう。

   Ⓐ Kyoo, o-hiru wa?
   Ⓑ Sakki soto ni deta tsuide ni pan o kattekita.
   Ⓐ Sokka. Ja, watashi mo kattekoyoo.

   Ⓐ What are you doing for lunch today?
   Ⓑ I bought bread when I was out just now.
   Ⓐ Oh. Then I'll go buy something too.

   Ⓐ 今天午饭吃什么呢？
   Ⓑ 刚才出去时顺便买了点儿面包回来。
   Ⓐ 是吗。那，我也去买点儿回来。

112 前に一度会ったことがある
Mae ni ichido atta koto ga aru
(I've met him once before／以前见过一次)

前に	before, earlier / 以前

Ⓐ あの人は知ってる人？
Ⓑ うん、前に一度会ったことがある。

Ⓐ Ano hito wa shitteru hito?
Ⓑ Un, mae ni ichido atta koto ga aru.

Ⓐ Is that someone you know?
Ⓑ Yes, I've met him once before.

Ⓐ 你认识那个人？
Ⓑ 嗯，以前见过一次。

▶「以前、過去」を意味する会話的な言葉です。会話では「に」が落ちて「前」になることも、よくあります（例：その話は、前、聞いた。）

A conversational term used to talk about the past. The 「に」 is often removed in conversation to just become 「前」(Ex: その話は、前、聞いた。)

是「以前、過去」的会话语。会话时常常省略「に」，只说「前」。(例：その話は、前、聞いた。／那话以前听说过)

基本パターン　前に ＋ Ｖた

1. Ⓐ 前にちょっとお話しした企画の件ですが…。
   Ⓑ ああ、あれ。どうなりました？
   Ⓐ 一つ問題がありまして…。

   Ⓐ Mae ni chotto o-hanashi shita kikaku no ken desu ga….
   Ⓑ Aa, are. Doo narimashita?
   Ⓐ Hitotsu mondai ga arimashite….

   Ⓐ About that plan we talked about earlier...
   Ⓑ Oh, that. What about it?
   Ⓐ I just had one question about it...

   Ⓐ 以前说过的企划的事。。。
   Ⓑ 啊，那个啊！怎么了？
   Ⓐ 有一个问题…。

2. Ⓐ この店、前に来たことあるの？
   Ⓑ うん、去年の秋に一回。
   Ⓐ なかなかいいね。気に入ったよ。

   Ⓐ Kono mise, mae ni kita koto aru no?
   Ⓑ Un, kyonen no aki ni ikkai.
   Ⓐ Nakanaka ii ne. Ki ni itta yo.

   Ⓐ Have you been to this store before?
   Ⓑ Yes, once last autumn.
   Ⓐ It's pretty good, isn't it? I like it.

   Ⓐ 这个店以前来过？
   Ⓑ 嗯，去年秋天来过一次。
   Ⓐ 真不错啊。我很喜欢！

113 どうも道に迷ったみたいですね

Doomo michi ni mayotta mitai desu ne
(It seems we've gotten lost／好像迷路了啊)

| どうも | seem to
好像、总是 |

Ⓐ あれ？　この道で合ってますか。
Ⓑ だんだん道が狭くなってきたなあ。
Ⓐ **どうも**道に迷ったみたいですね。
Ⓑ そんな感じだね。引き返そう。

Ⓐ Are? Kono michi de attemasu ka.
Ⓑ Dandan michi ga semaku natte kita naa.
Ⓐ *Doomo* michi ni mayotta mitai desu ne.
Ⓑ Sonna kanji dane. Hikikaesoo.

Ⓐ Huh? Is this the right street?
Ⓑ It's getting narrower and narrower.
Ⓐ It seems we've gotten lost.
Ⓑ It feels that way. Let's turn around.

Ⓐ 唉？ 这条路对吗？
Ⓑ 路渐渐变窄了啊。
Ⓐ 好像迷路了啊。
Ⓑ 觉得是那样，返回去吧。

意味・使う場面

「原因や理由がわからないが、漠然とそう感じる気持ち」を表します。また、「どうも〜ない」の形で、「いろいろやっても満足する状態に至らない」様子を表します

Used to indicate "I don't know the reason or cause, but something just seems to be so." Also used in the form 「どうも〜ない」 to indicate a situation in which many attempts have been unsuccessfully made to reach a satisfactory conclusion.

不清楚原因、理由，有种茫然的感觉。还有用「どうも〜ない」的形式表示「いろいろやっても満足する状態に至らない／怎么努力也不满意」语气。

基本パターン

どうも ＋ Ｖない　　　　　　　…Ⓐ
どうも ＋ ［Ａ・ＮＡ／Ｖ／文］ …Ⓑ

会話練習

PART3 ● 説明に使う言葉

1 Ⓐ どうしたの？
Ⓑ ここの意味が**どうも**わからなくて。
Ⓐ ほんとだ。なんか変な文章。

Ⓐ *Dooshita no?*
Ⓑ *Koko no imi ga **doomo** wakaranakute.*
Ⓐ *Honto da. Nanka hen na bunshoo.*

Ⓐ What's the matter?
Ⓑ I just can't seem to figure this part out.
Ⓐ You're right. What an odd sentence.

Ⓐ 怎么了？
Ⓑ 这里的意思总是搞不明白。
Ⓐ 真的。文章写得有点怪。

---

2 Ⓐ 最近、**どうも**よく眠れなくて…。
Ⓑ この時期は湿気が多いからね。シーツとか、替えてみたら？
Ⓐ そうだね。

Ⓐ *Saikin, **doomo** yoku nemurenakute….*
Ⓑ *Kono jiki wa shikke ga ooi kara ne. Shiitsu toka, kaete mitara?*
Ⓐ *Soo da ne.*

Ⓐ I just can't seem to get a good night's sleep lately...
Ⓑ It's very humid at this time of year. Why don't you try changing your sheets?
Ⓐ You're right.

Ⓐ 最近总是睡不着…。
Ⓑ 这个季节太潮，换换床单儿看看怎么样？
Ⓐ 是啊。

---

3 Ⓐ 山本さんは原さんと何度か話したことありますか。
Ⓑ ええ、たまにだけど。
Ⓐ 私、**どうも**苦手で…。
Ⓑ ちょっと癖はあるけど、悪い人じゃないですよ。

Ⓐ *Yamamoto-san wa Hara-san to nando ka hanashita koto arimasu ka.*
Ⓑ *Ee, tamani dakedo.*
Ⓐ *Watashi, **doomo** nigatede….*
Ⓑ *Chotto kuse wa arukedo, warui hito ja nai desu yo.*

Ⓐ Have you spoken to Hara-san many times before, Yamamoto-san?
Ⓑ Yes, on occasion.
Ⓐ I just can't seem to talk to him...
Ⓑ He may have his strange habits, but he's not a bad person.

Ⓐ 山本跟小原说过话吗？
Ⓑ 嗯，不过，只是偶尔。
Ⓐ 我也是，有点儿棘手。
Ⓑ 只是有点儿毛病，不是坏人。

114 今日は<u>だめ</u>なんだ
kyoo wa <u>dame</u> nanda
(Tonight is bad for me ／今晩不行)

だめ	not good, bad 不行

Ⓐ 今晩、一緒に夕飯食べない？
Ⓑ ごめん、今日は<u>だめ</u>なんだ。用事があって。

Ⓐ *Konban, issho ni yuuhan tabenai?*
Ⓑ *Gomen, kyoo wa <u>dame</u> na n da. Yooji ga atte.*

Ⓐ Do you want to get dinner tonight?
Ⓑ Sorry, tonight is bad for me. I already have plans.

Ⓐ 今晚一起吃晚饭怎么样？
Ⓑ 对不起，今晚不行，我有事。

意味・使う場面

「使えない、効果がない、対応できない、許されない、状態や結果がよくない」など、広く否定的な意味を表します。

Used broadly to indicate a negative attitude, such as "can't use," "not effective," "not able to handle," "can't forgive," or "a bad situation or result."

不能用、没有效果、状态结果不好」等意思，广泛地用于否定。

基本パターン

[V ても／V なきゃ・ないと／V たら]
[N ＋ は／が] ｝ ＋ <u>だめ</u>

会話練習

PART3 ● 説明に使う言葉

1. Ⓐ 最近、寝るのが遅くなっちゃって、朝、きついんです。
   Ⓑ 早く寝なきゃ、**だめ**だよ。

   Ⓐ I've been going to sleep late recently, so mornings are hard for me.
   Ⓑ You need to go to sleep early, it's bad otherwise.

   Ⓐ 最近睡得很晚，早上很难受。
   Ⓑ 不早点睡不行啊。

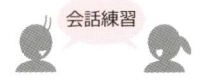

   Ⓐ Saikin, neru noga osoku nacchatte, asa, kitsui n desu.
   Ⓑ Hayaku nenakya, *dame* da yo.

2. Ⓐ 部長、全然わかってくれない。
   Ⓑ 部長にいくら言っても、**だめ**だよ。人の意見なんか聞かないから。
   Ⓐ やっぱり、そうか。

   Ⓐ The chief won't understand me at all.
   Ⓑ It's no use trying to explain to him. He doesn't listen to what others have to think.
   Ⓐ That's what I thought.

   Ⓐ 经理一点儿也不理解我。
   Ⓑ 再怎么跟经理说也没用啊。他根本听不进别人的意见。
   Ⓐ 原来是这样啊。

   Ⓐ Buchoo, zenzen wakatte kurenai.
   Ⓑ Buchoo ni ikura itte mo, *dame* da yo. Hito no iken nanka kikanai kara.
   Ⓐ Yappari, soo ka.

3. Ⓐ あれ、食べないの？
   Ⓑ 実は卵が**だめ**なんです。アレルギーで。
   Ⓐ そうなんだ。じゃ、しょうがないね。

   Ⓐ What? Are you not going to eat that?
   Ⓑ I actually can't eat eggs. I'm allergic.
   Ⓐ Oh. Well, I guess there's nothing we can do about that.

   Ⓐ 那个，你不吃吗？
   Ⓑ 我鸡蛋不行，有过敏症。
   Ⓐ 是吗。那，没办法啊。

   Ⓐ Are, tabenai no?
   Ⓑ Jitsuwa tamago ga *dame* na n desu. Arerugii de.
   Ⓐ Soo na n da. Ja, shooganai ne.

4. Ⓐ セーターを普通の洗剤で洗濯したら、小さくなっちゃって。
   Ⓑ ああ…。もう、**だめ**かも。

   Ⓐ When I washed this sweater with normal detergent, it shrunk.
   Ⓑ Oh... It might be ruined now.

   Ⓐ 听说毛衣用一般的洗涤剂洗会缩水的。
   Ⓑ 啊…。已经晚了。

   Ⓐ Seetaa o futsuu no senzai de sentaku shitara, chiisaku nacchatte.
   Ⓑ Aa…. Moo, *dame* kamo.

5. Ⓐ おなかいっぱいになったね。
   Ⓑ うん。もう**だめ**。これ以上、入らない。

   Ⓐ Aren't you full?
   Ⓑ Yes, I can't eat another bite.

   Ⓐ 你吃饱了吧。
   Ⓑ 嗯。不行了。再吃不下去了。

   Ⓐ Onaka ippai ni natta ne.
   Ⓑ Un. Moo *dame*. Kore ijoo, hairanai.

115 ああいうの、いやだよね

Aaiuno, iya da yo ne
(I don't like that type ／那样的人真让人讨厌啊)

| いや（嫌） | bothersome, annoying, don't like
讨厌、麻烦 |

Ⓐ あの二人、いつも人の悪口ばっかり言ってる。
Ⓑ うん。ああいうの、**いや**だよね。

Ⓐ *Ano futari, itsumo hito no waruguchi bakkari itteru.*
Ⓑ *Un. Aaiuno, iya da yo ne.*

Ⓐ Those two are always badmouthing other people.
Ⓑ Yes, I don't like that type.

Ⓐ 他们俩总是说别人的坏话。
Ⓑ 嗯。那样的人真让人讨厌啊。

意味・使う場面

「（人や物、誘い、依頼などについて）受け入れたり応じたりする気にならない、嫌いだ」「（ある状態を）もう続けたくない」などの気持ちを表します。

Used to indicate feelings of "I don't like (person, thing, invitation, request) and won't accept it," or "I don't want to continue (situation)."

不愿意或讨厌接受响应人、物、劝诱、依赖」等意思。有「（ある状態を）もう続けたくない／不想持续有种状态」等语气。

基本パターン

いや ｛ ＋だ／になる
　　　　な＋N

会話練習 　　　　　　　　　　　　　　　　　　　　　　PART3 ● 説明に使う言葉

1 Ⓐ どうしたの？　ため息なんかついて。
　Ⓑ 毎日叱られてばかりで、ほんと、**いや**になる。
　Ⓐ ああ、店長ね。最悪。

　Ⓐ What's the matter? You're sighing.
　Ⓑ I'm being scolded every day, I can't take it.
　Ⓐ Oh, the manager. He's the worst.

　Ⓐ 怎么了？　唉声叹气的。
　Ⓑ 每天都被训，真烦啊。
　Ⓐ 啊，是店长吧。真可恶！

　Ⓐ Dooshita no? Tameiki nanka tsuite.
　Ⓑ Mainichi shikararete bakari de, honto, *iya* ni naru.
　Ⓐ Aa, tenchoo ne. Saiaku.

2 Ⓐ あ、また、雨が降ってきた。
　Ⓑ なんか、**いや**な天気。

　Ⓐ Oh, it's raining again.
　Ⓑ I don't like this weather.

　Ⓐ 啊，又下雨了！
　Ⓑ 又下了，讨厌的天气！

　Ⓐ A, mata, ame ga futtekita.
　Ⓑ Nanka, *iya* na tenki.

3 Ⓐ 飲み会に誘われたけど、あんまり行きたくないんだよね。
　Ⓑ **いや**なら行かなきゃいいよ。

　Ⓐ I was invited to the drinking party, but I don't really want to go.
　Ⓑ Then don't go if you don't want to.

　Ⓐ 被叫去喝酒，不太愿意去啊。
　Ⓑ 不愿去就不去吧。

　Ⓐ Nomikai ni sasowareta kedo, anmari ikitakunai n dayo ne.
　Ⓑ *Iya* nara ikanakya ii yo.

4 Ⓐ 代表してスピーチをお願いしたいんだけど。
　Ⓑ えー、**いや**だよ。

　Ⓐ I'd like you to give a speech as our respresentative.
　Ⓑ What? I don't want to.

　Ⓐ 请你代表致辞。
　Ⓑ 唉？　我可不行啊！

　Ⓐ Daihyoo shite supiichi o onegai shitai n dakedo.
　Ⓑ Ee, *iya* dayo.

116 自分だってしないことが多いじゃない

Jibun datte, shinai koto ga ooi ja nai
(But you ignore them all the time too／你自己不是常常不回吗？)

自分（じぶん） — oneself, me／自己，我

Ⓐ メール見たら、返事してよ。
Ⓑ <u>**自分**</u>だって、しないことが多いじゃない。

Ⓐ Meeru mitara, henji shiteyo.
Ⓑ <u>**Jibun**</u> datte, shinai koto ga ooi ja nai.

Ⓐ You need to reply once you read an email.
Ⓑ But you ignore them all the time too.

Ⓐ 看到短信后回信啊！
Ⓑ 你自己不是常常不回吗？

意味・使う場面

「その人自身」の意味ですが、会話では、相手が誰について言っているのか、注意しましょう。「自分は／が〜」と主語にもなり、使い方はさまざまです。

Means "that person him／herself," but in conversation, be careful to pay attention to who is being spoken about. 「自分は／が〜」 can also be used as a subject, making it a versatile term.

是「その人自身／那个人自身」的意思，可是会话里要注意「自己」是指谁，也有「自分は／が〜」作主语使用。用法很多。

基本パターン

自分 ＋ で／に／を／と／から／は／が／も ＋ [V／A／なA]

会話練習

PART3 ● 説明に使う言葉

1. Ⓐ 最近、親に戻ってきてほしいって、よく言われるんだ。
   Ⓑ そうなんだ。で、**自分**はどうなの？
   Ⓐ 迷うよ。半々ってとこ。

   Ⓐ Saikin, oya ni modottekite hoshii tte yoku iwareru n da.
   Ⓑ Soo nan da. De, *jibun* wa doonano?
   Ⓐ Mayou yo. Hanhan tte toko.

   Ⓐ My parents have been saying they want me to come back a lot recently.
   Ⓑ I see. What about yourself?
   Ⓐ I don't know. I'm split.

   Ⓐ 最近 父母经常说让我回去。
   Ⓑ 是吗！那，你自己怎么想？
   Ⓐ 很犹豫啊。一半儿一半儿。

2. Ⓐ たまには明るい色の服も着てみたら？
   Ⓑ でも、どんなのが**自分**に合うのか、よくわからなくて。

   Ⓐ Tamaniwa akarui iro no fuku mo kitemitara?
   Ⓑ Demo, donnano ga *jibun* ni au noka, yoku wakaranakute.

   Ⓐ Why don't you try wearing brightly-colored clothes once in a while?
   Ⓑ But I don't know what kinds would look good on me.

   Ⓐ 偶尔穿颜色亮点儿的衣服怎么样？
   Ⓑ 可是不知道什么样的适合自己。

3. Ⓐ これはどこかに頼んで作ってもらったんですか。
   Ⓑ いえ、**自分**たちで作ったんです。

   Ⓐ Kore wa dokoka ni tanonde tsukutte moratta n desu ka.
   Ⓑ Ie, *jibun* tachi de tsukutta n desu.

   Ⓐ Did you ask someone to make these?
   Ⓑ No, we made them ourselves.

   Ⓐ 这是请谁做的吗？
   Ⓑ 不是，是我自己做的。

4. Ⓐ 貴重品は、ご**自分**で管理なさってください。
   Ⓑ わかりました。

   Ⓐ Kichoohin wa, go-*jibun* de kanri nasatte kudasai.
   Ⓑ Wakarimashita.

   Ⓐ Please hold on to your own valuables.
   Ⓑ I understand.

   Ⓐ 贵重物品请自己保管。
   Ⓑ 知道了。

117 じゃ、そのテーブルをお願いします

Ja, sono teeburu o **onegai shimasu**
(Please carry that table, then ／那，麻烦你搬那个桌子吧)

お願いします　　please 拜托

Ⓐ えーっと、どれを運べばいいですか。
Ⓑ じゃ、そのテーブルを**お願いします**。

Ⓐ Eetto, dore o hakobeba ii desu ka.
Ⓑ Ja, sono teeburu o **onegai shimasu**.

Ⓐ Um, which one should I carry?
Ⓑ Please carry that table, then.

Ⓐ 那个，我该搬哪个？
Ⓑ 那，麻烦你搬那个桌子吧。

▶ 相手に何かしてほしいことを頼むときに使います。相手が理解できる場合、動詞や具体的なことを省略して言うことが多いです。

Used when asking someone to do something. The action or concrete details are often not included when the person you are speaking to understands what is being said.

用于请对方做某事。对方明白的场合，大多可以省略动词或具体的事。

基本パターン	［具体的な内容］＋	お願いします　　※丁寧な言い方 お願い　　　　　※くだけた言い方

---

1 Ⓐ ちょっと郵便局に行ってきます。
Ⓑ あ、待って。これも一緒に**お願いして**いい？

Ⓐ Chotto yuubinkyoku ni ittekimasu.
Ⓑ A, matte. Kore mo issho ni **onegai shite** ii?

Ⓐ I'm going to go to the post office for a minute.
Ⓑ Oh, wait. Could you please take these too?

Ⓐ 我去下邮局。
Ⓑ 啊，等一下，顺便拜托把这个也带去。

---

2 Ⓐ 先日**お願いした**件は、どうなりましたか。
Ⓑ すみません、もう少しで終わりますので。

Ⓐ Senjitsu **onegai shita** ken wa, doonarimashita ka.
Ⓑ Sumimasen, moo sukoshi de owarimasu node.

Ⓐ What happened to thing I asked you about yesterday?
Ⓑ Sorry, it'll be done soon.

Ⓐ 前几天拜托你的事怎么样了？
Ⓑ 对不起，马上就完。

118 森さんに頼んでみたら？
Mori-san ni tanonde mitara?
(What about asking Mori-san?／求小森怎么样？)

頼む — ask／拜托、求助

- Ⓐ 困ったなあ。誰か手伝ってくれないかなあ。
- Ⓑ 森さんに頼んでみたら？

Ⓐ *Komattanaa. Dareka tetsudatte kurenai kanaa.*
Ⓑ *Mori-san ni tanonde mitara?*

Ⓐ This is no good. I wonder if someone will help.
Ⓑ What about asking Mori-san?

Ⓐ 真难办啊，谁能帮下忙吗？
Ⓑ 求小森怎么样？

▶「お願い（します）」と意味や使い方はほぼ同じで、相手に依頼するときの表現です。男性が「頼む」というとき、女性は「お願い（します）」ということが多いです。

Has nearly the same meaning and usage as「お願い（します）」and is used when asking someone for something. Women often say「お願い（します）」when men say「頼む」.
与「お願い（します）」意思及用法相近，求对方帮忙时使用。男性多用「頼む」，女性多用「お願いします」。

基本パターン	（依頼する相手に直接）頼みます／頼む（＋よ／ね） （間接的に）［人］＋に＋頼む　　　※男性的な表現

1
- Ⓐ 明日のシフト、代わってくれない？
- Ⓑ えー。明日はゆっくりしたかったのに。
- Ⓐ 頼むよ。彼女が誕生日なんだよ。

Ⓐ *Ashita no shifuto, kawatte kurenai?*
Ⓑ *Ee. Ashita wa yukkuri shitakatta noni.*
Ⓐ *Tanomu yo. Kanozyo ga tanjoobi nan da yo.*

Ⓐ Could you switch shifts with me tomorrow?
Ⓑ What? I wanted to take tomorrow easy.
Ⓐ Please, I'm asking you. It's my girlfriend's birthday.

Ⓐ 明天的班能不能替我一下？
Ⓑ 哎？ 明天我想好好休息啊！
Ⓐ 求你了，明天是我女朋友的生日。

2
- Ⓐ じゃ、先に帰るけど、あとはよろしく頼むね。
- Ⓑ わかりました。

Ⓐ *Ja, saki ni kaeru kedo, ato wa yoroshiku tanomu ne.*
Ⓑ *Wakarimashita.*

Ⓐ Okay, I'll be going home first. Can I ask you to take care of the rest?
Ⓑ All right.

Ⓐ 那，我先回去了，其他的就拜了！
Ⓑ 知道了。

119 あ、すみません

A, sumimasen
(Oh, sorry ／啊，对不起)

ごめん／すみません／申し訳ない　　sorry 对不起

Ⓐ **すみません**、ちょっと前を通していただけますか。
Ⓑ あ、**すみません**。

Ⓐ *Sumimasen. Chotto mae o tooshite itadakemasu ka.*
Ⓑ *A, sumimasen.*

Ⓐ Sorry, could I pass in front?
Ⓑ Oh, sorry.

Ⓐ 对不起，请让下道。
Ⓑ 啊，对不起。

意味・使う場面
いずれも謝罪を表す言葉です。家族や友達に使うのが「ごめん（なさい）」「申し訳ない」、それ以外で一般的なのが「すみません」、最も丁寧なのが「申し訳ないです／申し訳ありません」です。何かを依頼するときの恐縮する気持ちを表す前置き表現として、また、お礼の代わりとしても使います。

All are words used to apologize.「ごめん（なさい）」and「申し訳ない」are used with family and friends, while a more general term is「すみません」and the most polite is「申し訳ないです／申し訳ありません」. Often used to preface a request to show gratitude, and also used to thank someone.

都是表示道歉的。对家人朋友说「ごめん（なさい）」「申し訳ない」，其他的一般常用的是「すみません」，最客气的说法是「申し訳ないです／申し訳ありません」。求助于别人时表示不好意思时可以在说正事前使用，也可以在过后表示感谢时使用。

基本パターン

謝る	[事実を伝える]＋謝りの言葉
	Fact　事実
	謝りの言葉＋[事実を伝える]
依頼の前置き	**すみません／ごめん（なさい）**＋文（依頼）
	Request　求助
お礼の代わり	（相手の行為を受けて）**すみません／ごめんね／申し訳ない**

会話練習

PART3 ● 説明に使う言葉

1. Ⓐ **すみません**、時間を勘違いしてました。
   Ⓑ これから来られますか。
   Ⓐ はい、すぐ行きます。ほんとに申し訳ありません。

   Ⓐ I'm sorry, I mistook the time.
   Ⓐ Will you able to come from now?
   Ⓑ Yes, I'll be right over. I'm very sorry.

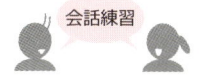

   Ⓐ 对不起，我把时间搞错了。
   Ⓑ 你现在能来吗？
   Ⓐ 能，我马上就去。实在抱歉，对不起啊！

   Ⓐ **Sumimasen,** jikan o kanchigai shitemashita.
   Ⓑ Korekara koraremasu ka.
   Ⓐ Hai, sugu ikimasu. Honto ni mooshiwake arimasen.

2. Ⓐ 昨日借りた傘、持ってくるの忘れちゃった。**ごめん**。
   Ⓑ いいよ、急がないから。

   Ⓐ I forgot to bring the umbrella I borrowed yesterday. Sorry.
   Ⓑ It's fine, I'm in no rush.

   Ⓐ 昨天借的伞忘带来了，对不起！
   Ⓑ 没事儿，不急用。

   Ⓐ Kinoo karita kasa, mottekuruno wasurechatta. **Gomen**.
   Ⓑ Iiyo, isoganai kara.

3. Ⓐ **すみません**、2時からここで会議をしたいんですが…。
   Ⓑ そうですか。じゃ、どきますね。
   Ⓐ 申し訳ないです。

   Ⓐ Excuse me, I'd like to use this room for a meeting from 2...
   Ⓑ Is that so? Then I'll move.
   Ⓐ I'm sorry.

   Ⓐ 对不起，两点开始想在这儿开会…。
   Ⓑ 是吗。那，马上让开。
   Ⓐ 真对不起。

   Ⓐ **Sumimasen**, 2ji kara koko de kaigi o shitai n desu ga….
   Ⓑ Soo desu ka. Ja dokimasu ne.
   Ⓐ Mooshiwakenai desu.

4. Ⓐ 時間があったら、ちょっと手伝ってほしいんですが。
   Ⓑ ああ、いいですよ。
   Ⓐ **すみません**。

   Ⓐ If you have time, I'd like you ask you for your help.
   Ⓑ Sure, that's fine.
   Ⓐ I'm sorry.

   Ⓐ 有时间的话请你帮下忙。
   Ⓑ 啊，可以啊。
   Ⓐ 对不起（不好意思）。

   Ⓐ Jikan ga attara, chotto tetsudatte hoshii n desu ga.
   Ⓑ Aa, ii desu yo.
   Ⓐ **Sumimasen**.

②「何」を含む表現　　120〜125

120 さっきから何、怒ってるんですか

*Sakki kara **nani**, okotteru n desu ka*
(What has he been upset about from earlier? ／刚才怎么了，不高兴了？)

何(なに)　　　**what**　什么、怎么了、打算怎样

Ⓐ 原さん、さっきから**何**、怒ってるんですか。
Ⓑ 部長に資料を最初から作り直すよう言われたみたい。
Ⓐ そうなんだ。

Ⓐ What has Hara-san been upset about from earlier?
Ⓑ The chief apparently told him to remake the materials from scratch.
Ⓐ I see.

Ⓐ 小原，刚才怎么了，不高兴了？
Ⓑ 好像被经理说了，让她把材料再重新。
Ⓐ 是吗。

Ⓐ *Hara-san, sakki kara **nani**, okotteru n desu ka.*
Ⓑ *Buchoo ni shiryoo o saisho kara tsukurinaosu yoo iwareta mitai.*
Ⓐ *Soo nan da.*

意味・使う場面
相手の行動や様子に対して、「何を」「どうして」「どうした」「どういうつもり」などのような疑問や不満を表します。動詞と一緒に使われる形が多いです。

Used to indicate doubts or displeasure with regards to someone else's action or appearance, such as "what," "why," "what's the matter," or "what are they thinking." Often used together with a verb.

对于对方的行动或样子表示「何を」「どうして」「どうした」「どういうつもり」等疑问或不满。大多与动词一起使用。

基本パターン　　何＋V＋んだ／ている／の（！／？）

会話練習

PART3 ● 説明に使う言葉

1 Ⓐ さっきから何よ！
Ⓑ え？
Ⓐ 人の話、全然聞いてないじゃない。
Ⓑ ごめん。ちょっと仕事のトラブルがあって…。

Ⓐ Sakki kara **nani** yo!
Ⓑ E?
Ⓐ Hito no hanashi, zenzen kiitenai janai.
Ⓑ Gomen. Chotto shigoto no toraburu ga atte….

Ⓐ What has been your problem?
Ⓑ Huh?
Ⓐ You're not listening to me at all.
Ⓑ Sorry, we had some trouble at work...

Ⓐ 刚才怎么了！
Ⓑ 唉？
Ⓐ 根本没听别人说话啊！
Ⓑ 对不起，工作上出了点儿麻烦…。

---

2 Ⓐ あの二人、結婚したの？
Ⓑ 何、知らなかったの？
Ⓐ 今、聞いたところ。びっくりしたよ。

Ⓐ Ano futari, kekkon shita no?
Ⓑ **Nani**, shiranakatta no?
Ⓐ Ima kiita tokoro. Bikkuri shita yo.

Ⓐ Did those two get married?
Ⓑ What, you didn't know?
Ⓐ I just heard. What a surprise.

Ⓐ 他们俩结婚了？
Ⓑ 什么？ 你不知道？
Ⓐ 刚听说，真的太吃惊了！

---

3 Ⓐ もう、何、やってんの!? バス、来ちゃうよ！
Ⓑ ごめん、ごめん。

Ⓐ Moo, **nani**, yatte n no!? Basu, kichau yo!
Ⓑ Gomen, gomen.

Ⓐ Oh, what are you doing? The bus is going to come!
Ⓑ Sorry, sorry

Ⓐ 你在干什么呀？ 车来了！
Ⓑ 对不起，对不起。

---

4 Ⓐ〈カラオケ店で〉何、緊張してるの？
Ⓑ ほんとに歌は下手なんです。
Ⓐ 大丈夫よ、誰も聞いてないから。

Ⓐ **Nani**, kinchoo shiteru no?
Ⓑ Honto ni uta wa heta na n desu.
Ⓐ Daijoobu yo, dare mo kitenai kara.

Ⓐ What, are you nervous?
Ⓑ I'm really bad at singing.
Ⓐ Don't worry, no one is listening.

Ⓐ 干嘛紧张啊？
Ⓑ 我真的歌唱得不好啊！
Ⓐ 没关系，反正没人听。

121 なんだ、もっと大きい額かと思った

Nan da, motto ookii gaku ka to omotta
(Oh, I thought it'd be more ／什么啊，还以为你中了大奖了呢)

なんだ（何だ）　　oh
　　　　　　　　　什么啊

Ⓐ 聞いてください。初めて宝くじが当たったんです！
Ⓑ えっ？ いくら当たったの？
Ⓐ 1万円。
Ⓑ **なんだ**、もっと大きい額かと思った。

Ⓐ Kiite kudasai. Hajimete takarakuji ga atatta n desu!
Ⓑ Ett? Ikura atatta no?
Ⓐ 1 man en.
Ⓑ **Nan da**, motto ookii gaku ka to omotta.

Ⓐ Are you listening? I just won the lottery for the first time in my life!
Ⓑ What? How much did you win?
Ⓐ 10,000 yen.
Ⓑ Oh, I thought it'd be more.

Ⓐ 大家来听啊，我第一次中彩票了！
Ⓑ 唉？ 中了多少？
Ⓐ 一万日元。
Ⓑ 什么啊，还以为你中了大奖了呢。

▶ 意外なことを聞いて、力が抜ける感じを表します。強い調子で言うと怒りを表し、この場合、「何ですか」「何なんですか」などの形もあります。

Used when you are let down after hearing an unexpected piece of information. Expresses anger when said forcefully, and forms such as「何ですか」「何なんですか」can be used in such situations.

表示听了意外的事感到失望。说得较强硬事表示生气，这时说「何ですか」「何なんですか」。

基本パターン	**なんだ** ＋ ［～か／～の？／～んだ］

---

1 Ⓐ どうして彼女とけんかしたの？
　　Ⓑ お昼をどこで食べるかで意見が分かれて…。
　　Ⓐ **なんだ**、そんなこと。

Ⓐ Dooshite kanojyo to kenka shita no?
Ⓑ O-hiru o doko de taberu ka de iken ga wakarete….
Ⓐ **Nan da**, sonna koto.

Ⓐ Why did you fight with your girlfriend?
Ⓑ We couldn't agree on where to eat lunch...
Ⓐ Oh, it was over that?

Ⓐ 怎么跟她吵架了？
Ⓑ 为了午饭在哪儿吃意见有分歧。
Ⓐ 什么啊，就为这个啊。

122 昨日はなんで練習、来なかったの？

Kinoo wa nande renshuu, konakatta no?
(Why didn't you come to practice yesterday?／昨天为什么没来练习？)

なんで（何で） why 为什么

Ⓐ 昨日は**なんで**練習、来なかったの？
Ⓑ うっかり曜日間違えちゃって…。
Ⓐ 何、それ!? しっかりして！

Ⓐ *Kinoo wa nande renshuu, konakatta no?*
Ⓑ *Ukkari yoobi machigaechatte….*
Ⓐ *Nani, sore!? Shikkari shite!*

Ⓐ Why didn't you come to practice yesterday?
Ⓑ I just thought it was a different day than it was...
Ⓐ What, that was it? Get a grip on yourself!

Ⓐ 昨天为什么没来练习？
Ⓑ 我把日子搞错了…。
Ⓐ 什么？ 好好记住！

▶ 意味は「どうして」とほぼ同じです。会話では「何で」のほうがよく使われます。
Means almost the same thing as 「どうして」. 「何で」 is more frequently used in conversations.
意思与「どうして」基本相同。会话时常用「何で」。

基本パターン 何で＋文

1 Ⓐ 私はデザートはいいや。
Ⓐ えっ、**なんで？**
Ⓑ ちょっとやせようと思って。

Ⓐ *Watashi wa dezaato wa iiya.*
Ⓐ *Ett, nande?*
Ⓑ *Chotto yaseyoo to omotte.*

Ⓐ I don't need desert today.
Ⓐ What, why?
Ⓑ I thought I'd try to lose some weight.

Ⓐ 我不吃甜点。
Ⓑ 唉？ 为什么？
Ⓐ 想减肥。

2 Ⓐ 今月はちょっとお金がピンチで…。
Ⓑ **なんで**ですか。
Ⓐ 先月、パソコンを買い替えたんです。

Ⓐ *Kongetsu wa chotto o-kane ga pinchi de….*
Ⓑ *Nande desu ka.*
Ⓐ *Sengetsu, pasokon o kaikaeta n desu.*

Ⓐ I'm a little tight on money this month...
Ⓑ Why is that?
Ⓐ I bought a new computer last month.

Ⓐ 这个月钱不够啊…。
Ⓑ 为什么？
Ⓐ 上个月换电脑了。

123 なんと 10万円なんです

Nanto 10 man en na n desu
(It only cost 100,000 yen ／那只花了10万日元)

なんと（何と）　Can you believe?（表示惊讶的语气）

Ⓐ バイク買ったの？　よくそんなお金あったね？
Ⓑ それが、**なんと** 10万円なんです。友達の紹介の店で。

Ⓐ Baiku katta no? Yoku sonna o-kane atta ne?
Ⓑ Sore ga, **nanto** 10 man en na n desu. Tomodachi no shookai no mise de.

Ⓐ You bought a new motorcycle? I'm surprised you had that much money saved up.
Ⓑ Well, it only cost 100,000 yen. Can you believe it? My friend introduced me to the store.

Ⓐ 买摩托车了？真有钱啊？
Ⓑ 那只花了10万日元，在朋友介绍的店买的。

▶ 強い驚き・感心・失望などの気持ちを表します。予想外の物事に出会ったとき、思わず発する言葉です。

Used to indicate strong feelings of shock, admiration, or disappointment. Used reflexively when something unexpected happens.

表示非常吃惊．佩服．失望的心情．遇到出乎意料的事时不由得顺口而出。

| 基本パターン | **なんと** ＋文／N |

1. Ⓐ 原さんと田中さん、**なんと** 結婚するそうです。
   Ⓑ えっ、あの二人が？　意外ですね。

   Ⓐ Hara-san to Tanaka-san, **nanto** kekkon suru soo desu.
   Ⓑ Ett, ano futari ga? Igai desu ne.

   Ⓐ Hara-san and Tanaka-san are getting married, can you believe it?
   Ⓑ What? Those two? I never expected that.

   Ⓐ 听说小原跟田中要结婚。
   Ⓑ 唉？　他们俩？　真感到意外啊。

2. Ⓐ けさ新聞を見たら、**なんと**、昔の友達が出てびっくりした。
   Ⓑ へえ、面白い。

   Ⓐ Kesa shinbun o mitara, **nanto**, mukashi no tomodachi ga detete bikkuri shita.
   Ⓑ Hee, omoshiroi.

   Ⓐ When I saw the paper this morning, my old friend was on it. Would you believe it?
   Ⓑ Huh, that's interesting.

   Ⓐ 看了今天早上的报纸，上面有以前朋友的报道，吃了一惊。
   Ⓑ 是吗！　挺有意思的。

124 なんてひどいこと
Nante hidoi koto
(What horrible things! ／太过分了！)

- なんて／なんてこと
- What a 〜!
- 这么、那么

Ⓐ 女性に向かって、**なんて**ひどいことを言うんだろうね。
Ⓑ ほんと、信じられない。

Ⓐ What horrible things he must say to women!
Ⓑ Really. I can't believe it.

Ⓐ 对女的怎么能说那么无礼的话啊！
Ⓑ 真的，太难让人相信了！

Ⓐ *Josee ni mukatte, **nante** hidoi koto o iu n daroo ne.*
Ⓑ *Honto, shinjirarenai.*

▶「なんて」は、程度が非常に強く、驚くほどであることを表します。「なんてこと」は、大変な驚きやあきれる気持ちなどを表します。

「なんて」 is used to indicate something is extreme in degree to the point of being surprised.「なんてこと」is used to express shock or amazement.

「なんて」表示程度非常强的震惊。「なんてこと」表示非常吃惊或失望的语气。

基本パターン

なんて ＋ [A／NA（＋N＋V）＋んだ（ろう）／の！]
なんてこと ＋ だ／をしてくれたんだ

---

1 Ⓐ このネコ、田中さんちの？
Ⓑ そう。
Ⓐ **なんて**かわいいの！

Ⓐ *Kono neko, tanaka-san chi no?*
Ⓑ *Soo.*
Ⓐ ***Nante** kawaii no!*

Ⓐ Is this cat yours, Tanaka-san?
Ⓑ Yes.
Ⓐ What a cute cat!

Ⓐ 这猫是田中家的？
Ⓑ 是的。
Ⓐ 这么可爱啊！

---

2 Ⓐ 今週末、台風が来るみたいね。
Ⓑ **なんてこと**だよ。キャンプに行く予定なのに。

Ⓐ *Konshuumatsu, taifuu ga kuru mitai ne.*
Ⓑ ***Nante koto** da yo. Kyanpu ni iku yotee nanoni.*

Ⓐ I hear a typhoon is coming this weekend.
Ⓑ What awful news. I was planning on going camping.

Ⓐ 这周末好像要来台风呢。
Ⓑ 哎？太糟糕了！打算要去野营的啊！

---

3 A: その書類は去年の暮れに処分しましたが…。
B: **なんてこと**をしてくれたんだよ。あれしか資料がないのに。

Ⓐ *Sono shorui wa kyonen no kure ni shobun shimashita ga….*
Ⓑ ***Nante koto** o shite kureta n dayo. Are shika shiryoo ga nai noni.*

Ⓐ I disposed of those documents at the end of last year...
Ⓑ What have you done? Those were the only materials of their kind.

Ⓐ 那个材料去年年末处理掉了…。
Ⓑ 你干的好事啊！ 那是仅有的一份材料啊！

125 何とかなるよ
Nantoka naru yo
(It'll work out somehow ／总能坚持下去的)

何とか／どうにか somehow

Ⓐ〈旅行で〉あと5000円か…。帰るまで持つかなあ。
Ⓑ **何とか**なるよ。余計なもの、買わなければ。

Ⓐ <Ryokoo de> Ato 5000en ka…. Kaeru made motsu kanaa.
Ⓑ **Nantoka** naru yo. Yokee na mono, kawanakereba.

Ⓐ (On a trip) Just 5,000 yen left... I wonder if it'll last until we go home.
Ⓑ It'll work out somehow. Just don't buy anything you don't need.

Ⓐ（旅行中）就剩5000日元了，能坚持到回去吗？
Ⓑ 总能坚持下去的，多余的东西只要不买的话。

意味・使う場面
「満足はできなくても、最低限のレベルで物事がされる様子」を表し、困難が伴う場面で使います。「する」や「なる」と結びついた場合は、「工夫や努力をして物事をやりとげる」ことを表します。

Used in difficult situations to indicate "A state where things are done at the minimum required level, even if it is not fully satisfactory." When together with「する」or「なる」, it means "To accomplish something through ingenuity or effort."

表示「満足はできなくても、最低限のレベルで物事がされる様子／即使不满足，也能维持最低水平」，用于面临某种困难的场合。于「する」或「なる」并用时，表示「工夫や努力をして物事をやりとげる／下功夫或努力去完成」

基本パターン　**なんとか／どうにか** ＋ { V / する／なる }

会話練習

1 Ⓐ そのシャツも、だいぶ色が落ちたね。
　Ⓑ うん。でも、**何とか**着（ら）れるよ。

Ⓐ *Sono shatsu mo, daibu iro ga ochita ne.*
Ⓑ *Un. Demo, nantoka ki(ra)reru yo.*

Ⓐ That shirt has become quite washed out.
Ⓑ Yes, but it's still wearable.

Ⓐ 那件衬衫颜色掉了很多啊。
Ⓑ 嗯。不过还能穿啊。

---

2 Ⓐ ビルさん、これ、明日の３時までに翻訳できない？
　Ⓑ うーん…頑張れば、**どうにか**できるかな。

Ⓐ *Biru-san, kore, ashita no 3 ji made ni hon'yaku dekinai?*
Ⓑ *Uun…ganbareba, doonika dekiru kana.*

Ⓐ Bill-san, can you translate this by 3 tomorrow?
Ⓑ Well... I think I can do it somehow if I try.

Ⓐ 彼尔，这个明天之前能翻译完吗？
Ⓑ 嗯…抓紧时间的话，总差不多吧。

---

3 Ⓐ もう！　黙ってないで、**何とか**言ったら？
　Ⓑ ごめん。ほんとに悪かった。

Ⓐ *Moo! Damattenaide, nantoka ittara?*
Ⓑ *Gomen. Hontoni warukatta.*

Ⓐ Agh! Why don't you say something instead of keeping quiet?
Ⓑ Sorry. It's my fault, really.

Ⓐ 别沉默啊！　没什么说的吗？
Ⓑ 对不起，都是我的错。

---

4 Ⓐ ねえ、ちょっとお金貸してくれない？
　Ⓑ また？　そんなに貸せないよ。
　Ⓐ そこを**何とか**…。
　Ⓑ だめ、だめ。

Ⓐ *Nee, chotto okane kashite kurenai?*
Ⓑ *Mata? Sonnani kasenai yo.*
Ⓐ *Soko o nantoka….*
Ⓑ *Dame, dame.*

Ⓐ Hey, could you lend me some money?
Ⓑ Again? I can't lend you that much.
Ⓐ Isn't there some way...?
Ⓑ No, it's not happening.

Ⓐ 哎，能不能借我点儿钱啊？
Ⓑ 又借钱？　没钱借你啊！
Ⓐ 求你了…。
Ⓑ 不行不行！

文型リスト   List of Sentence Patterns／句型列表

※意味・働きが複数の場合、例と異なるものもあります。

	文型とその例	主な意味・働き
1	これ、何かの間違いかと思うんですけど。	・断定を避ける
2	疲れてるからって、休むわけにいかないよ。	・相手の行為や発言の理由を否定する ・正当な理由ではないという判断を伝える
3	田中さんの考え方は古いというか…。	・曖昧に答える ・最適な答えが見つからない
4	おかずというより、おかしだね。	・2つを比較して適当な方を示す
5	行けないことはないんですけど…。	・可能性
6	なくさないようご注意ください。	・目標、目的 ・意図する結果
7	ちょっと考えてみるよ。	・試しにやってみる
8	じゃ、食べてあげるよ。	・その人のためにする
9	ちょっと聞いてくれる?	・恩恵を受けることをありがたく思う
10	明日の予定は?	・疑問の省略表現
11	土曜日はどう?	・提案して意向を尋ねる ・情報や意見を尋ねる
12	電話で聞いてみれば?	・強めの助言、示唆
13	パソコンが変なんだけど。	・話題やテーマの提示 ・相手の注意を引く
14	誰にも言っちゃだめだよ。	・「〜ては」の変化した形
15	ちょっとわかんないです。	・「ら行」の音の変化
16	例のあれ、うまくいってる?	・話し手も聞き手も知っている物事を指す
17	これは困ったな。	・今の事態や自分の置かれた状況を指す
18	えっ、何、それ?	・相手が話した内容を指す
19	うん、そこだよね。	・前の発言の大切な点を示す
20	そんなの変だと思います。	・相手の発言に対する不平・不満・非難
21	どうだろう。	・疑問、不安 ・否定的な意見
22	どうやって資金を集めるつもり?	・方法を尋ねる ・疑いのニュアンス ・不満、非難
23	どうも風邪ひいたみたいで。	・(不明なことに対する) 推測
24	確かにそうかもしれません。	・賛成 ・調子を合わせる
25	そのとおり。こんなこと、絶対許せない。	・積極的な賛同
26	おっしゃるとおりです。	・積極的な賛同 ・目上に使う
27	そうか。足りないか。	・同意
28	はあ。	・一応の理解や賛成
29	ほう。そうですか。	・興味 ・ちょっとした驚き
30	いやあ、まいったね。	・新しい話題の提示
31	実は私もそうなんです。	・注目を促す ・話しにくいことを提示
32	ところで、森さん、来なかったね。	・話題を変える
33	そう言えば、5月は京都に行ったんですか。	・思い出したことを述べる

文型リスト

#	表現	用法
34	でも、よく頑張ったよ。	・話を終わらせず一言述べる ・軽く反対する ・改めて強調する
35	それで考えたんだけど。	・関連した話題を持ち出す ・相手が次に言うことを待つ
36	というわけで、来週の発表会は延期だって。	・説明の終了を示す
37	とすると、明日には間に合わない？	・結果 ・判断 ・確認
38	あと、中間報告をしてくださいね。	・情報の追加
39	ちなみに、集合場所は同じね。	・補助的な情報
40	しかも、礼儀正しくて感じがいいんだ。	・情報の追加
41	といっても、仕上がりが雑だと困るけど。	・別の意見を伝える
42	それに、食事も値段の割にまあまあ。	・情報の追加
43	それが、もうだめになったんだって。	・共通の話題に関して相手が意外に思うことを伝える
44	それよりお昼にしよう。	・優先すべき事柄の提示
45	それなら、すぐにでも就職活動始めたほうがいいよ。	・相手の発言に関する意見・提案・質問
46	そうじゃなくて、電球が1つ切れてるんだ。	・相手の発言を否定
47	えーっと、ちょっと待ってよ、今言うから。	・発話の間に休みを入れる
48	そのう…鍵をなくしちゃって…。	・発話の間に休みを入れる
49	まあ、食べられないことはないけど。	・譲歩
50	そうですね、ちょっと厳しいかもしれませんね。	・間を置いて考える
51	そんなことない。	・軽い否定
52	違いますよ。	・軽い否定
53	いえ、次の角です。	・軽い否定
54	いえいえ、それは恐縮です。	・丁寧な否定
55	いやいや、うちからは割と近いんですよ。	・強い否定
56	じゃ、そういうことで、今日は終わりにします。	・確認 ・話し合いの終了を提示する
57	大体以上です。	・報告の終了を提示する
58	…そういうわけなんです。	・説明の終了を提示する
59	よかったね。	・喜び ・安心
60	助かった！	・問題が解決したとき使う
61	困ったなあ、計算が合わない。	・問題が起きた時に使う
62	まいったなあ。	・客観的に苦しい状況を捉える
63	弱ったなあ。	・苦しい状況の強調
64	どうしよう。	・問題の解決方法が見つからない時に使う ・人に助けを求める気持ち

65	また買いに来ればいいって。	・強調	81	いやになっちゃうな、もう。	・不愉快さの強調
66	だめだってば。	・強調（強い調子）	82	は？　5名で予約したはずですが。	・聞き返し
67	集合時間が早すぎるんだもの。	・理由（甘えた調子）	83	よくそんなことが言えるなあ。	・意外な気持ち ・感心 ・非難
68	そんなに早く起きられないったら。	・強調（優しい印象）	84	まったく、近頃の学生は勝手ですね。	・驚き ・呆れ
69	しょうがないよ、直せないんだもの。	・問題解決に向けた努力の放棄	85	これはまた、どうしたんですか、二人で？	・驚き ・あきれ
70	いくら工夫してみてもだめなんだ。	・努力してもうまくいかず諦める	86	森さんには感心する。	・称賛
71	どうせ断られるよ。	・成功の見込みがないと諦める	87	連続勝利、素晴らしいね。	・率直に褒める
72	それくらいなら、あきらめられるでしょう。	・低評価	88	こんな賞をもらうなんて、大したもんだ。	・目下を褒める
73	洗ったぐらいじゃ、この汚れは落ちないよ。	・否定的な評価、判断、質問	89	すごいニュース！	・手放しで褒める
74	でも、哲学なんか役に立つの？	・低評価	90	これはなかなかいい。	・程度が予想を超えたことを評価
75	悪いけど、今晩はもう帰らせてもらうよ。	・相手の許可を得る ・遠慮	91	わりと易しかったよ。	・予想以上
76	よろしいでしょうか。	・「いい」の丁寧な形	92	駅から案外、遠いんだね。	・予想外
77	ただ、引用が多すぎるって、先生が注意してた。	・一部を否定する	93	おい、早く行こうぜ。	・相手の関心を引く
78	ただし、次回はもうだめですからね。	・一部を否定する(強い印象)	94	あとで怒られても知らないぞ。	・強調 ・相手の関心を引く
79	だって、道が混んでたんだもん。	・理由（自己主張）	95	しっかり謝ったほうがいいよ。	・励まし
80	だから、早めに予約しようって言ったのに。	・自分の主張を相手に強く訴える	96	はい、ちゃんと出しましたよ。	・正しく適切に
			97	これでいいじゃん。	・同意 ・聞き返し

文型リスト

#	例文	意味・用法
98	**それで**、帰りはいつごろ？	・話の続きを促す
99	へー。**それから**？	・話の続きを促す(穏やかな調子)
100	こんな**具合**です。	・方法・やり方 ・調子
101	軽く押さえる**感じ**で拭き取ってください。	・感覚的なこと ・漠然とした感想や印象 ・微妙な気持ち
102	どういう**形**で進めたらよろしいでしょうか。	・抽象的な方法・手順
103	その右にある**やつ**	・人・物を指す指示語 ・気軽さがある一方、乱暴な調子を含む
104	**わけわかんない**	・理由・事情
105	なかなかいい**線**行ってると思う。	・方向・方向性・方針 ・レベル
106	お休みの**ところ**、ごめんなさい。	・そのような場面・状況 ・本来の状態・あり方
107	そういう**つもり**で言ったんじゃないよ。	・意志 ・意図・考え
108	仕事が少し**大変**だけど。	・事態が重大 ・苦労や困難が多い ・程度が普通ではない
109	日曜は**ちょっと**…。	・否定的なことを柔らかく表す ・無視できない、かなり
110	**いろいろ**とお世話になりました。	・事情や事柄が複雑で、簡単に言えない
111	さっき部長が探してたよ。	・少し前
112	前に一度会ったことがある。	・以前・過去
113	**どうも**道に迷ったみたいですね。	・原因や理由がわからないが、漠然と ・いろいろやっても満足する形にならない
114	今日は**だめ**なんだ。	・広く否定的な意味
115	ああいうの、**いや**だよね。	・嫌いだ ・もう続けたくない
116	**自分**だって、しないことが多いじゃない。	・その人自身
117	じゃ、そのテーブルを**お願いします**。	・依頼
118	森さんに**頼んでみた**ら？	・依頼
119	あ、**すみません**。	・謝罪 ・依頼の前置き表現 ・お礼
120	さっきから**何**、怒ってるんですか。	・疑問 ・不満
121	**なんだ**、もっと大きい額かと思った。	・意外なことを聞いての脱力 ・怒り(強い調子で言う場合)
122	昨日は**なんで**練習、来なかったの？	・どうして
123	**なんと**10万円なんです。	・予想外 ・驚き・関心・失望
124	**なんて**ひどいこと。	・程度が非常に強い
125	何とかなるよ。	・満足はできないが、最低限のレベル ・工夫や努力をしてやりとげる

● 監修者・著者

　水谷 信子（みずたに のぶこ）
　お茶の水女子大学・明海大学名誉教授、元アメリカ・カナダ大学連合日本研究
　センター教授、元ラジオ講座「100万人の英語」講師など

● 著者

　松本 隆（まつもと たかし）　元アメリカ・カナダ大学連合日本研究センター教授
　高橋 尚子（たかはし なおこ）　熊本外語専門学校専任講師

レイアウト	オッコの木スタジオ
DTP	トライアングル
カバーデザイン	花本浩一
本文イラスト	はやし・ひろ／白須道子
翻訳	Alex Ko Ransom／Ako Fukushima／司馬黎／王雪
編集協力	森本智子／黒岩しづ可

わかる！話せる！日本語会話 発展文型125

平成27年（2015年） 10月10日　初版 第1刷発行
令和3年（2021年） 3月10日　　　　第3刷発行

監修者・著者　水谷信子
著　　者　　松本隆／高橋尚子
発 行 人　　福田富与
発 行 所　　有限会社Jリサーチ出版
　　　　　〒166-0002 東京都杉並区高円寺北2-29-14-705
電　　話　　03(6808)8801（代）　FAX 03(5364)5310
編 集 部　　03(6808)8806
　　　　　http://www.jresearch.co.jp
印 刷 所　　株式会社シナノ パブリッシング プレス

ISBN 978-4-86392-244-0
禁無断転載。なお、乱丁、落丁はお取り替えいたします。

©2015　Nobuko Mizutani, Takashi Matsumoto, Naoko Takahashi　All rights reserved.
　　　　Printed in Japan